Collection
ARCHIVES

ARCHIVES
DE LA VOILE

Dans la collection ARCHIVES,
par Jacques Borgé et Nicolas Viasnoff

ARCHIVES DES MÉDECINS   ARCHIVES DES CHEMINOTS

ARCHIVES DES POMPIERS   ARCHIVES DES JUGES ET AVOCATS

ARCHIVES DE L'AUTOMOBILE   ARCHIVES DE LA POLICE

ARCHIVES DES INSTITUTEURS   ARCHIVES DES MINEURS

ARCHIVES DE LA MODE   ARCHIVES DU CHEVAL

ARCHIVES DE L'AVIATION

ARCHIVES D'ALSACE   ARCHIVES DU LIMOUSIN

ARCHIVES D'AUVERGNE   ARCHIVES DE LORRAINE

ARCHIVES DU VAL DE LOIRE   ARCHIVES DU LYONNAIS

ARCHIVES DE BOURGOGNE   ARCHIVES DU NORD

ARCHIVES DE BRETAGNE   ARCHIVES DE NORMANDIE

ARCHIVES DE LA CÔTE D'AZUR   ARCHIVES DE PARIS

ARCHIVES DE GASCOGNE   ARCHIVES DE PROVENCE

ARCHIVES DU LANGUEDOC   ARCHIVES DE SAVOIE

ARCHIVES DE LA BANLIEUE PARISIENNE

ARCHIVES DE L'AFRIQUE NOIRE   ARCHIVES D'INDOCHINE

ARCHIVES DE L'ALGÉRIE   ARCHIVES DU MAROC

© Éditions Michèle Trinckvel, 1996
ISBN : 2-85132-071-8

Jacques Borgé et Nicolas Viasnoff

ARCHIVES
DE LA VOILE

ÉDITIONS MICHÈLE TRINCKVEL

LA PÊCHE

*Thoniers dans le port de Concarneau.
Au premier plan, un sardinier
avec, sur sa voile, l'immatriculation C C,
réservée aux bateaux de Concarneau.*

Le Petit Journal

Le Petit Journal
CHAQUE JOUR 5 CENTIMES
Le Supplément illustré
CHAQUE SEMAINE 5 CENTIMES

SUPPLÉMENT ILLUSTRÉ
Huit pages : CINQ centimes

ABONNEMENTS

	SIX MOIS	UN AN
SEINE ET SEINE-ET-OISE	2 fr.	3 fr. 50
DÉPARTEMENTS	2 fr.	4 fr.
ÉTRANGER	2 50	5 fr.

Huitième année   DIMANCHE 21 MARS 1897   Numéro 331

LES TEMPÊTES RÉCENTES
Perte de la « Marguerite »

Les thoniers dans la tempête

Qui se souvient aujourd'hui des terribles tempêtes de 1930?
A Douarnenez, le glas avait sonné pour 46 noyés.
Aucune famille n'avait été épargnée
On peut encore lire les noms
des victimes dans
le cimetière.

Les touristes qui passent leur été entre Douarnenez et La Rochelle, s'ils ne se laissent pas entièrement absorber par la plage ou le casino, s'ils accordent un peu de leur attention au spectacle plus varié du port, ne manquent pas de distinguer parmi les barques de pêche les élégants et robustes dundees aux coques peintes, aux voiles multicolores et souvent rapiécées (le pittoresque y gagne) qui se mirent dans l'eau des bassins ou évoluent en dehors des digues.

La voile tend à disparaître sur cette côte, où le moteur fait de plus en plus concurrence aux misaines et aux taille-vents des sardiniers : les thonniers, sauf exception, restent exclusivement des voiliers. Et ce ne sont pas les peintres de marines, si nombreux dans ces ports, qui me contrediront si j'assure qu'il est peu d'images plus attirantes que celle d'un thonnier sous voiles, soit qu'il les offre toutes grandes au souffle d'une brise fraîche, à peine incliné sur la hanche alors que les pêcheurs côtiers prennent des ris, soit que, pareil à un cygne des mers polaires, il glisse, l'aile ouverte, sur l'eau laiteuse, dans la lumière tamisée et la brume légère des accalmies.

Un détail de son armement le caractérise et l'allège : c'est la paire de gaules (ou tangons) qui, s'élançant chacune du pied du grand mât, s'y appliquent dans les ports, s'en écartent au large et semblent deux palpitantes antennes. Elles portent respectivement sept lignes, ce qui en fait quatorze - dix-sept avec les trois de la poupe. Car le thon blanc de l'Atlantique, assez différent comme taille et comme goût de l'énorme thon rouge de la Méditerranée, se pêche, comme au temps de la marine en bois, à la ligne et à la course.

Quatre à cinq nœuds, c'est une bonne allure de pêche. Qu'on se figure ces dix-sept lignes traînant à leur hameçon double la touffe de crin ou la paille de maïs, par 200 ou 300 milles du bord, dans la solitude que rompt rarement la voilure d'un autre thonnier, la fumée d'un chalutier à vapeur ou d'un paquebot.

L'équipage - de quatre à six hommes - attend. Attente souvent longue et décevante, même lorsque le poisson abonde, même lorsqu'il saute autour du bateau : car il n'est pas toujours en humeur de mordre. Et puis, tout à coup, une sonnette tinte, un marteau frappe, une gaule ploie. Il arrive que les dix-sept lignes soient prises en même temps. C'est alors sur le pont une gesticulation intense. Les bras se fatiguent à embarquer les lourds poissons - de quatre à douze kilos -, le poinçon du

Le naufrage de la Marguerite, *vu par le supplément illustré du* Petit Journal *en mars 1897. La barque, partie du port de Trouville avec à son bord quatre hommes dont un mousse, fut poussée par le vent et les courants sur le Cap Fagniet, et entièrement détruite.*

mousse n'en finit pas de percer leur crâne pour les rendre immobiles, ni le couteau du nettoyeur de les vider de leur ouïes et tripaille, ni l'eau de mer de balayer à grands seaux les planches où les sabots, excepté ceux de peuplier, glissent dans la graisse et la sanie. Mais après cette fièvre qui n'a pour témoins que les oiseaux voraces, il fait bon rallier la terre avec son butin, les deux ou trois centaines de thons qui, pendus la queue en l'air, sèchent au vent le long des espars : on les payait à Concarneau, principal port de vente, jusqu'à 1 300 francs la douzaine, quand le cyclone s'est déchaîné.

Les pêcheurs de Saintonge et de Vendée eurent longtemps le monopole de cette pêche. Puis Groix s'en fit une spécialité, à tel point qu'il arrive encore de donner le nom de *groizillons* aux thonniers, bien qu'ils ne ressemblent plus, ni comme coque ni comme gréement, aux sortes de jonques chinoises qui s'armaient, il y a quelque cinquante ans, à Port-Tudy.

Sur la côte morbihannaise, Etel est pour cet armement le plus grand port. Le Finistère s'y est mis plus tard : le premier

Lors de la terrible tempête de septembre 1930, un thonier au mouillage a été jeté au sec.

thonnier construit à Concarneau date - ou plutôt datait - de 1906. Où que ce soit, les équipages de cette flotte représentent une élite : ils se recrutent parmi ce qu'il y a de plus sain, de plus robuste et de plus entreprenant dans les vieilles familles de pêcheurs qui sont l'aristocratie populaire de ces ports, et davantage peut-être dans les éléments jeunes et ouverts des campagnes voisines. Car l'appel de la mer ne s'y fait pas vainement entendre, et l'apport paysan renouvelle à point un personnel qui s'use. Qu'on ne s'imagine d'ailleurs pas ici le pêcheur dolent et miséreux des légendes. Le thonnier-type est un colosse plein de cordialité, et qui n'a pas besoin de se faire débitant, comme tel un ancien patron de ma connaissance, pour respirer la joie. Il gagne assez largement sa vie, s'habille et se nourrit sans lésine. Le patron au moins a le plus souvent une part dans le capital de 130.000 à 140.000 francs que représente un dundee neuf.

Assurément, l'existence au large, dans cet immense exil de la mer, comporte bien des heures monotones, mais le matelot sait s'occuper à bord. Les marées sont

de huit, dix, quinze jours, rarement davantage. Ce n'est pas pour l'effrayer. Hélas! voilà plus de trois semaines que certains sont partis. Ceux qui les connaissent, eux et leurs bateaux, peuvent se demander comment la tempête leur a été si funeste. C'est qu'on en a peu vu d'aussi violentes.

Le vent soufflait du Sud-Ouest. Les uns ont fait front et tenu à la cape, ce qui n'était sans doute pas la plus mauvaise tactique. La plus naturelle était de fuir le temps, d'atterrir vent arrière sous le minimum de toile. Mais quand la lame fait sept nœuds à l'heure et que le bateau n'en fait que trois ou quatre, il s'expose à être balayé d'un bout à l'autre, surtout avec les gabarits actuels, qui comportent un élancement plein d'élégance, mais excessif. Car l'arrière, en ce cas, se soulève mal. Si d'ailleurs il se soulève bien, c'est le beaupré qui pique, comme on dit, dans la plume. Plusieurs de ces dundees auraient dû leur salut à ce que leur beaupré, engagé avec son foc, s'est rompu net. D'autres, merveilleux d'équilibre, qui sont restés couchés sur l'eau un quart d'heure, se sont redressés, comme ce grand thonier blanc

à tourmentin jaune que des rescapés déclarent avoir vu sombrer par l'arrière. N'y en a-t-il pas aussi qui errent encore, drossés hors de la zone des recherches et de la route des vapeurs, démâtés, désemparés, sans vivres et, ce qui est pire, sans eau (car à la rigueur, ils pourraient encore pêcher), véritables radeaux de la Méduse? On ose à peine donner corps à cette hypothèse : et cependant...

Veut-on saisir sur le vif l'âme héroïque et simple de ces hommes? Voici deux rapports de mer, l'un du *Bon Retour*, qui perdit deux hommes, et dont le mousse était ce jeune Rioual, que le ministre de la Marine Marchande a fait chevalier du Mérite Maritime :

RAPPORT CONCERNANT LA DISPARITION DU MATELOT SELLIN (YVES), DE TRÉGUNC, DISPARU LE 19 SEPTEMBRE, À 19H30 DU SOIR, DANS LES CIRCONSTANCES SUIVANTES : *Étant de quart, a monté sur le pont pour prendre la veille avec son camarade Gars (Joseph), et le reste de l'équipage dans la chambre avec leurs cirés sur le qui-vive, car nous n'étions pas tranquilles, le baromètre si bas à 737, vent soufflant en tempête, mer démontable*

Ce thonier désemparé est rentré à la remorque. Il a touché des cailloux sur l'arrière.

Ci-dessus :
Dramatique sauvetage
en mer du Nord
en novembre 1938.
Une lame a projeté
le Zeemanshoop (bateau
de sauvetage belge ou
hollandais) sur l'épave
du voilier. On voit
un homme debout près
du mât.

Page de droite :
Le désordre règne
sur le pont du thonier,
après la tempête
de septembre 1930
à Concarneau.

lorsqu'une lame s'abattit sur le bateau, le remplissant à moitié d'eau, nous étourdissant, et lorsque nous avons pu nous dégager pour monter sur le pont, nous nous sommes aperçus que tout le pont avait été balayé de tout son matériel et de ses deux matelots de quart. -

Signé : BRIANT, PERON, SELLIN.
On a demandé au patron :
– Qu'avez-vous tenté pour sauver les disparus?

Réponse :
– Nous avons lancé du filin dans la direction où nous avons entendu des voix.

N'est-il pas poignant, dans son éloquence sans phrases?

Et voici l'autre rapport, celui de la *Bienheureuse-Bernadette* :

Le vendredi 19 septembre, à 22 heures, étant en fuite, la mer démontée, nous avons reçu une lame énorme qui a complètement balayé le pont. L'équipage a été enlevé par cette lame puis projeté à bord. Le bateau s'est entièrement couché; lorsqu'il s'est relevé quelques minutes plus tard, nous nous sommes aperçus qu'il nous manquait deux hommes...

Que de prouesses, que de détresses enfouies dans cette nuit tragique du 19 au 20 septembre!

Il ne faut jamais désespérer de revoir un marin dont la disparition n'est pas dûment certifiée. *La Semeuse*, présumée perdue, est rentrée aux Sables-d'Olonne; d'autres, sur les 26 dundees qu'à l'heure où j'écris on ose à peine attendre, finiront bien par rallier un port. Cependant une nouvelle tempête a convulsé l'Atlantique; le glas a tinté, à Douarnenez, pour ceux qui ne revenaient pas et, dimanche dernier, au Sacré-Cœur de Montmartre, Mgr Verdier a prononcé les paroles chrétiennes sur les marins égarés ou perdus.

Quarante-six noyés. Fassent le ciel et la mer que le lugubre total n'aille pas, comme il y a lieu de craindre, à deux cents ! Ainsi serait dépassé celui des victimes de l'inondation dans le Midi. Et ici, pas d'infirmes, de débiles, de femmes sans défense, de vieillards : rien que de la jeunesse endurcie, aguerrie, et des hommes dans la force de l'âge.

Le Monde Illustré
18 octobre 1930.

GRAVE INCIDENT DE PECHE
Des pêcheurs portugais essaient de faire sauter un bateau langoustier français

Ci-dessous :
Concarneau :
la pêche au thon
a été bonne.

LA PÊCHE

Thons et sardines :
L'arrivée au port

*En 1930, le commerce des produits de la pêche obéit à des règles très particulières.
A Concarneau, chacune des trente usines de conserves
possède son « acheteuse », chargée de négocier
les prix avec les patrons
pêcheurs.*

*Page de gauche : En juillet 1910, le capitaine Noël Fouquet, de l'île de Sein,
va relever ses casiers à langoustes aux Berlingues lorsqu'il surprend
trois bateaux de pêche portugais en train de vider les casiers. Les Portugais s'enfuient
après avoir lancé une cartouche de dynamite en direction des Français pour les effrayer...*

La pêche saisonnière a toujours posé des problèmes d'emploi. Cette photo d'une équipe de travailleurs anglais de Stornoway (qui ne se laissent pas aller à la morosité...) illustre en réalité un grave conflit qui éclata pendant l'été 1936 à propos de la pêche au hareng.

Les Pardons de la mer

On ne peut imaginer aujourd'hui la foi des pêcheurs,
dont toute la vie revêtait un caractère religieux,
ni les rassemblements de milliers de pèlerins,
comme au Pardon de Sainte-Anne
de la Palude.

Sur ce fond magnifique se déroule un cortège de féerie. D'abord la théorie des prêtres aux chasubles éclatantes. Derrière eux, les porteurs de croix et de bannières, érigeant leurs torses musculeux sous des vestes en justaucorps galonnées de velours et lamées d'argent. Ensuite, une longue, une noble rangée de figures graves, hiératiques, échappées, dirait-on, de quelque vitrail. Filles ou femmes de pêcheurs, on les prendrait pour des idoles vivantes, à voir les vêtures somptueuses et les lourds ornements dont elles sont chargées, à voir surtout l'inconsciente majesté de leur démarche que rythment des chants de litanies et des sons intermittents de tambours. Elles passent, lentes et les yeux fixes, balançant au roulis de leurs épaules les statues des saints et des saintes, protecteurs et protectrices de leurs pères, de leurs frères, de leurs fiancés, de leurs époux.

Le contraste est saisissant, hélas! de ces « pardonneuses » si richement parées, avec les tristes compagnes qui leur succèdent. Vieilles ou jeunes, sveltes ou courbées, celles-ci sont uniformément habillées de noir et, sur leurs faces sérieuses, dont beaucoup sont en larmes, les ailes des coiffes, au lieu de s'éployer au soleil, palpitent, mélancoliquement rabattues en signe de veuvage. Car ce sont les « veuves

de la mer ». Ne cherchez pas à les compter, elles sont trop!... Entre leurs doigts joints elles tiennent des cierges consumés à demi, mais dont elles ont soufflé la flamme, pour donner à entendre qu'ainsi s'est éteinte la vie des hommes qui leur furent chers... Elles défilent, discrètes, douloureuses, immédiatement suivies par les « sauvés ». Et le rapprochement n'est pas aussi singulier qu'il en a l'air. De ces « sauvés » d'aujourd'hui, combien, avant qu'il soit un an, n'aura-t-on pas à pleurer comme « perdus » ! Ils se sont rendus au pardon dans l'accoutrement qu'ils portaient le jour du naufrage, au moment où ils imploraient Sainte Anne. Ils s'avancent en harnais de travail, pieds nus, le pantalon de toile retroussé sur le caleçon de laine, la vareuse de drap bleu maculée, corrodée par l'embrun. J'ai vu un équipage au complet prendre place dans leurs rangs. En tête marchait le mousse, un enfant d'une dizaine d'années, qui portait, suspendu à son cou, une espèce d'écriteau; on y lisait quelques traces de lettres peintes : c'était la plaque de l'embarcation, la seule épave qu'en eût revomi la tourmente!...

S'il est peu de tableaux plus impressionnants que ces grandes panégyries maritimes déroulées sur le penchant des falaises, autour de quelque sanctuaire

Sur cette photo d'amateur, on peut lire (difficilement) sur une bannière, les mots : « Paroisse de Saint Pierre, Association des Saints Anges ». La forme des coiffes devrait fournir aux spécialistes un indice sur le lieu du pélerinage...

19

LA PÊCHE

Ce cliché et celui de la page suivante appartiennent à la même série. On ne peut imaginer aujourd'hui le faste et la ferveur de ces cérémonies, qui réunissaient les notables, les habitants, tous les enfants, etc.

votif, qu'est-ce donc lorsque le temple est la mer elle-même, la mer avec ses houles et son bruissement infini, la mer avec ses moires étincelants, ses effluves héroïques et ses horizons illimités?

Trouvez-vous sur la côte morbihannaise, en face de l'île de Groix, un 24 juin, jour de la Saint-Jean.

De tous les clochers de la région, des carillons retentissants s'égrènent dans le ciel matinal. Dans chaque village, les populations endimanchées descendent vers les quais où les barques sont à flot. Gens de Larmor et de Gavre, gens de Port-Louis et de Port-Tudy, les clans de pêcheurs sont sur pied. Tandis que leurs femmes assistent à la messe d'aube, dans l'église de la paroisse, ils terminent les apprêts du départ. Les bateaux, fraîchement repeints, affectent une coquetterie inaccoutumée. Tout est propre, astiqué de neuf, net et luisant comme pour une parade.

Et c'en est une, en effet, à laquelle pas un de ces hardis laboureurs de vagues ne voudrait manquer.

La messe a pris fin. Le portail s'ouvre. Le clergé s'avance processionnellement vers le môle : il est en surplis, l'étole au cou. Une chaloupe accoste, pour qu'il puisse y embarquer. La voile s'ébroue, grimpe le long du mât, s'enfle, comme un bouclier sonore, au souffle de la brise d'été.

« A Dieu va ! » crie l'homme de barre.

Les prêtres entonnent l'*Ave, maris Stella*, dont les femmes, agenouillées sur le rivage, répètent en chœur les versets. Et c'est au bruit de ces chants alternés que la barque sacerdotale cingle vers la haute mer. Dix, vingt autres barques, chargées de pêcheurs en habits de fête, s'élancent dans son sillage. Et il n'y a pas un petit port, pas un havre minuscule de cette côte où ne se reproduise, à la même heure, la même cérémonie. Ce ne sont de toutes parts que légères escadrilles voguant vers le commun rendez-vous. Ce rendez-vous, il est là-bas, à mi-chemin de Groix et du continent, dans la passe la plus dangereuse de ce coin d'Atlantique, et sur le point le plus redouté de cette passe, que l'on nomme « coureau ». Quand se déchaînent les vents adverses, nulle route marine, - le Raz excepté, - ne tend plus de pièges au navigateur. Mais, aujourd'hui, le terrible

20

coureau n'est que sourires : il a rentré ses instincts mauvais. Un bateau de pêcheurs de thon se balance à l'ancre dans ses remous presque caressants. Sur le pont, au pied de la mâture, un autel est dressé et, devant l'autel, se tiennent les membres du clergé de Groix. On les distingue de loin, à leurs grandes chapes dorées. Les flottilles font cap sur ce tabernacle flottant. Les unes après les autres, elles viennent se ranger en cercle autour de lui; les voici toutes présentes, celles de la rivière d'Etel, celles de l'embouchure du Blavet, celles de la douce et poétique Leita. Un coup de pierrier retentit; une clochette teinte : la *bénédiction de la mer* va commencer.

Le recteur de Groix a saisi le Saint Sacrement; il l'élève à la hauteur de son front et, murmurant les paroles rituelles, promène successivement l'ostensoir d'or dans la direction des quatre points cardinaux. Dans les barques, les durs visages boucanés s'inclinent, les yeux couleur d'aigue-marine se mouillent, les grosses mains, rugueuses comme une écorce, pétrissent les bérets d'un geste attendri. Mais l'officiant entame les premiers vers

d'un cantique : aussitôt, des centaines de voix lui font chorus. Elles sont rudes, âpres, inégales : il n'importe! L'accent de foi qui les anime, les échos immenses qui les prolongent, la respiration de la mer qui les accompagne, tout cela, joint à la solennité de l'heure comme à la splendeur du décor, leur prête, en même temps qu'une vertu d'émotion inoubliable, une fruste, mais réelle beauté.

Soudain l'hymne s'interrompt. Le célébrant asperge la mer et prononce les paroles de bénédiction. Puis, de nouveau, les voix reprennent, tandis que s'opèrent les manœuvres du retour; et rien n'est plus solennel que ces traînées de chants sur les eaux, auxquels répondent, dans la paix du soir, les sonneries grêles et douces des angélus côtiers...

La bénédiction de la mer va avoir lieu sur le quai. Un ex-voto est transporté depuis l'église par quatre matelots. Des chants religieux accompagnent le cortège.

Lectures pour tous
Décembre 1902.

La protection de la Vierge

*Avant de partir vers l'Islande, les pêcheurs reçoivent
la traditionnelle bénédiction des départs.
Une procession fait le tour
du port.*

Leur navire s'appelait la *Marie*, capitaine Guermeur. Il allait chaque année faire la grande pêche dangereuse dans ces régions froides où les étés n'ont plus de nuits.

Il était très ancien, comme la Vierge de faïence sa patronne. Ses flancs épais, à vertèbres de chêne, étaient éraillés, rugueux, imprégnés d'humidité et de saumure; mais sains encore et robustes, exhalant les senteurs vivifiantes du goudron. Au repos il avait un air lourd, avec sa membrure massive, mais quand les grandes brises d'ouest soufflaient, il retrouvait sa vigueur légère, comme les mouettes que le vent réveille. Alors il avait sa façon à lui de *s'élever à la lame* et de rebondir, plus lestement que bien des jeunes, taillés avec les finesses modernes.

Quant à eux, les six hommes et le mousse, ils étaient des *Islandais* (une race vaillante de marins qui est répandue surtout au pays de Paimpol et de Tréguier, et qui s'est vouée de père en fils à cette pêche-là).

Ils n'avaient presque jamais vu l'été de France.

A la fin de chaque hiver, ils recevaient avec les autres pêcheurs, dans le port de Paimpol, la bénédiction des départs. Pour ce jour de fête, un reposoir, toujours le même, était construit sur le quai; il imitait une grotte en rochers et, au milieu, parmi des trophées d'ancres, d'avirons et de filets, trônait, douce et impas-

sible, la Vierge, patronne des marins, sortie pour eux de son église, regardant toujours, de génération en génération, avec ses mêmes yeux sans vie, les heureux pour qui la saison allait être bonne, - et les autres, ceux qui ne devaient pas revenir.

Le saint-sacrement, suivi d'une procession lente de femmes et de mères, de fiancées et de sœurs, faisait le tour du port, où tous les navires islandais, qui s'étaient pavoisés, saluaient du pavillon au passage. Le prêtre, s'arrêtant devant chacun d'eux, disait les paroles et faisait les gestes qui bénissent.

Ensuite ils partaient tous, comme une flotte, laissant le pays presque vide d'époux, d'amants et de fils. En s'éloignant, les équipages chantaient ensemble, à pleines voix vibrantes, les cantiques de Marie Etoile-de-la-Mer.

Et chaque année, c'était le même cérémonial de départ, les mêmes adieux.

Après, recommençait la vie du large, l'isolement à trois ou quatre compagnons rudes, sur des planches mouvantes, au milieu des eaux froides de la mer hyperborée.

Jusqu'ici, on était revenu; - la Vierge Etoile-de-la-Mer avait protégé ce navire qui portait son nom.

PIERRE LOTI
Pêcheur d'Islande, 1886.

*Saint Malo, février 1933.
Dans le carré
d'un dundee, dernière
prière à la Vierge
avant le départ
des Terre Neuvas.*

Pêcheurs d'Islande : le départ

Son paraphe apposé, chaque homme touche sur l'heure un premier appoint dit « argent perdu », de quinze à cinquante francs.

De tous les ports qui arment chaque année pour la pêche d'Islande, - Dunkerque mis à part, - Paimpol est sans contredit le plus important. Sa flottille ne comprend pas moins de cinquante ou soixante navires, montés par près de quinze cents hommes.

Notre pêcheur s'achemine vers une des riches maisons d'armateurs éparses dans la haute ville. Il n'a qu'une crainte, qui est d'arriver trop tard, de trouver la place prise, les équipages au complet. Car il y a foule à ce marché d'hommes qu'on expédie, chaque hiver, des côtes de Bretagne aux géhennes du septentrion. Pour un vide que produit la mort, il se présente vingt existences, prêtes à le remplir. La démarche du matin auprès de l'armateur ne revêt un caractère définitif que le jour fixé pour la signature de l'engagement, quatre ou cinq semaines environ avant le départ.

On convoque, à cette date, tous les équipages, et Paimpol présente le tableau le plus animé.

Dès le matin, les rues sont pleines d'une foule d'hommes, accourus, qui des hameaux de la côte, qui des paroisses de l'intérieur. Beaucoup sont imberbes encore, quelques-uns sont déjà des barbons à poil gris. Il en est qui comptent jusqu'à trente campagnes d'Islande et viennent pour la trente et unième fois vendre, comme on dit, leur peau. Les ruraux forment un singulier contraste avec les gars de la zone maritime, de l'« Armor ». On les distingue aisément à leurs faces roses, à peine teintées d'un léger hâle par le soleil des champs, à leur pas somnolent et un peu balourd, à leur accoutrement aussi, la plupart ayant conservé le pantalon de berlingue et la veste à basques du paysan trégorrois. Le marin, lui, moule son torse dans un tricot de laine brune ou bleue et porte, en général, toute sa barbe frisée et crêpelée en petites vagues, comme celle d'un dieu des ondes.

Tout ce monde défile par groupes à travers les ruelles étroites de la ville basse. Point de femmes parmi eux : ils les ont semées dans les auberges des faubourgs où elles déjeûneront d'une soupe, pour quelques deniers. Eux, c'est l'armateur qui paye leur repas. Les tables sont dressées à l'enseigne de la *Tête Noire* ou de *l'Ancre d'argent*. L'hôtesse a reçu ordre de bien faire les choses. Les plats se succèdent et les bouteilles se vident. On sort de ces agapes en commun la face émoustillée et les yeux rieurs. Misères passées, misères futures, tout est oublié. Vainement la bise de janvier siffle-t-elle au-dehors, présage

A Fécamp, en 1901, la goélette à hunier Jacques Cœur *est sur le départ.*

LA PÊCHE

Ci-contre :
Jusqu'à la dernière
minute, les femmes
restent à bord. Au fond,
derrière la femme
en coiffe blanche,
on devine les doris
de pêche empilés.

Ci-dessous :
Dans les rues
de Saint Malo,
avant le départ
pour la saison 1936.

inquiétant des nuits sinistres qui se préparent là-bas, dans les lointains du pôle...

Il est deux heures. Bras dessus, bras dessous, la bande se dirige vers les bureaux de l'Inscription maritime, vers le « commissariat ». Les armateurs sont là et aussi les capitaines.

Un gendarme appelle chaque équipage à tour de rôle, en le désignant par le nom du navire : « *La Caroline!*... *L'Angèle!*... *L'Augustine-Marie-Anne!*... » Et les hommes entrent par fournées, se tassent en troupeau dans un coin de la salle et, plus amusés qu'attentifs, continuent de converser à mi-voix. Ils brûlent d'en avoir fini avec cette « corvée ». On dirait que ce qui se passe dans cette enceinte ne les concerne pas; et c'est le pain de leurs familles, c'est leur propre destinée qui est en jeu. Le commissaire, cependant, leur donne lecture de la feuille d'engagement, énumère les conditions qui leur sont faites et les responsabilités qu'ils encourent : « Est-ce entendu ainsi et acceptez-vous? »

Ils n'ont pas entendu, mais ils acceptent et sont prêts à signer tout ce que l'on voudra, de confiance. Chaque homme,

son paraphe apposé, touche sur l'heure un premier appoint, dit « argent perdu », que l'armateur lui verse en guise de denier à Dieu ou de pourboire bénévole, varient de quinze à cinquante francs et pouvant même s'élever plus haut, selon les garanties d'expérience et d'habileté offertes par le pêcheur. Il reçoit, en outre, des « avances » qui diffèrent de « l'argent perdu » en ce que le montant devra, plus tard, en être retenu sur les salaires de la pêche. Ces « avances », variables elles aussi, sont pour permettre à l'homme de se procurer son équipement et d'assurer - s'il se peut - l'entretien de sa maisonnée durant les mois d'absence. Il est rare qu'elles dépassent deux cents francs et, le plus souvent, elles demeurent fort au-dessous de cette somme. N'importe, de sentir tinter des pièces dans sa poche, le marin, âme volage et enfantine, se tient déjà pour millionnaire. Il n'est pas de fantaisie absurde, pas de folie dont il ne soit capable.

Les femmes veillent, heureusement. Encapuchonnées dans leurs mantes d'hiver, elles guettent l'homme à la sortie du commissariat. L'autorité de la Bretonne sur

A Fécamp, en février 1938, Monseigneur Petit de Julieville, Archevêque de Rouen, bénit les Terre Neuvas.

Pour le Pardon des Terre Neuvas, grande fête qui a lieu juste avant le départ des pêcheurs, tous les trois-mâts goélettes à hunier de la flotte sont pavoisés.

LA PÊCHE

*La foule des parents, des amis,
ou tout simplement des Malouins qui,
sous aucun prétexte ne rateraient
la cérémonie du Pardon.*

son mari est considérable. L'Islandais, saisi au passage, remet le « magot » aux mains de sa « ménagère », et l'on va de compagnie visiter les «boutiques» paimpolaises. La majeure partie des avances est dévorée par les frais d'équipement. Il faut au pêcheur deux « cirages », deux paires de « sabots-bottes », un tablier en toile huilée, des fausses manches, un suroît ou casque, un bonnet de peau de mouton muni d'oreillettes, un matelas ou couette que l'on bourrera de paille de seigle, une couverture de grosse laine ou ballin, sans oublier le grand couteau d'Islande, à lame pointue, qui sert tout ensemble d'ustensile de bouche et d'instrument de travail.

Le « Pardon des Islandais » se célèbre d'ordinaire le dimanche qui doit précéder le départ. On s'y rend par clans entiers de toutes les paroisses avoisinantes, de Kerfaut, de Plounez, de Plouezec, de Kérity, de Perros-Hamon, de Pors-Even, de Ploubazlanec. Plus de trois mille pèlerins se pressent dans les rues et sur les quais de la vieille cité.

On vient beaucoup par dévotion, il va sans dire, mais aussi pour se divertir une fois encore, avant de doubler - peut-être à tout jamais - les derniers promontoires de la terre bretonne. Sur la levée qui sépare le port du bassin à flot, un reposoir a été dressé la veille par les soins des armateurs. A une charpente de bois sculpté, figurant une chapelle gothique, sont suspendues, en guise de draperies, des voiles que brodent des capricieuses arabesques de lignes et d'agrès. Deux Islandais en costume de pêche se tiennent debout, immobiles, de part et d'autre du marchepied. A l'issue des vêpres, la procession s'achemine vers ce reposoir. En tête s'avance la statue somptueusement habillée de Notre-Dame de Bonne-Nouvelle, protectrice de « ceux qui s'en vont au loin ». Elle est assujettie sur un brancard que balancent, au rythme de leurs larges épaules, un groupe d'Islandais choisis parmi les gars les plus beaux. Puis viennent les oriflammes et les bannières; puis, sous un dais, l'officiant, qui est parfois l'évêque du diocèse, escorté d'une délégation d'armateurs qui portent des flambeaux, et enfin la foule, immense, la foule houleuse, véritable mer humaine où les coiffes blanches des femmes semblent des vols de mouettes entraînées au gré du flot. Les cloches s'ébranlent : de toutes les poitrines s'échappe en un chœur formidable le cantique traditionnel :

*Dame de Bonne-Nouvelle,
Patronne des matelots...*

La flottille des goëlettes islandaises, rangées bord à bord, emplit tout le bassin, - forêt de mâts, de vergues, de cordages, pavoisée et comme fleurie d'étendards aux mille nuances qui claquent avec un grand bruit sonore dans le vent de février. L'officiant, suivi de la procession, fait le tour des quais et, d'un large geste, bénit un à un les navires... Cela est vraiment unique, surtout si l'on songe qu'il y a peut-être là tel bâtiment pour qui c'est la bénédiction suprême.

Le pêcheur, lui, n'y songera que demain, la fête close et les dernières fumées de l'ivresse dissipées. Oh! ces réveils mornes et veules, sous le chaume familial, le lendemain de la « triste semaine »!

*Lectures pour tous
1898.*

*Tout ce qui reste de l'Alirmay
après qu'il ait été jeté sur la côte,
près d'Aberdeen, en Écosse.
Les six hommes d'équipage ont pu être sauvés.*

La *Marie*
s'échoue

*Ils sont partis de Paimpol après le pardon des Islandais.
Hélas, dès le lendemain, un bruit sourd
avec une sensation de raclement...*

L a mer, la mer grise. Sur la grand'route non tracée qui mène, chaque été, les pêcheurs en Islande, Yann filait doucement depuis un jour.

La veille, quand on était parti au chant des vieux cantiques, il soufflait une brise du sud, et tous les navires, couverts de voiles, s'étaient dispersés comme des mouettes.

Puis cette brise était devenue plus molle, et les marches s'étaient ralenties; des bancs de brume voyageaient au ras des eaux.

Yann était peut-être plus silencieux que d'habitude. Il se plaignait du temps trop calme et paraissait avoir besoin de s'agiter, pour chasser de son esprit quelque obsession. Il n'y avait pourtant rien à faire, qu'à glisser tranquillement au milieu de choses tranquilles; rien qu'à respirer et à se laisser vivre. En regardant, on ne voyait que des grisailles profondes; en écoutant, on n'entendait que du silence...

... Tout à coup, un bruit sourd, à peine perceptible, mais inusité et venu d'en dessous avec une sensation de raclement, comme en voiture lorsque l'on serre les freins des roues! Et la *Marie*, cessant sa marche, demeura immobilisée...

Échoués!!! où et sur quoi ? Quelque banc de la côte anglaise, probablement.

Aussi, on ne voyait rien depuis la veille au soir, avec ces brumes en rideaux.

Les hommes s'agitaient, couraient, et leur excitation de mouvement contrastait avec cette tranquillité brusque, figée, de leur navire. Voilà, elle s'était arrêtée à cette place, la *Marie*, et n'en bougeait plus. Au milieu de cette immensité de choses fluides, qui, par ces temps mous, semblaient n'avoir même pas de consistance, elle avait été saisie par je ne sais quoi de résistant et d'immuable qui était dissimulé sous ces eaux; elle y était bien prise, et risquait peut-être d'y mourir.

Qui n'a vu un pauvre oiseau, une pauvre mouche, s'attraper par les pattes à de la glu?

D'abord on ne s'en aperçoit guère; cela ne change pas leur aspect; il faut savoir qu'ils sont pris par en dessous et en danger de ne s'en tirer jamais.

C'est quand ils se débattent ensuite, que la chose collante vient souiller leurs ailes, leur tête, et que, peu à peu, ils prennent cet air pitoyable d'une bête en détresse qui va mourir.

Pour la *Marie*, c'était ainsi; au commencement cela ne paraissait pas beaucoup; elle se tenait bien un peu inclinée, il est vrai, mais c'était en plein matin, par un beau temps calme; il fallait *savoir* pour s'in-

*Le brick goélette
Sainte Anne, échoué
et brisé sur un rocher
dans les Cornouailles,
en 1931.*

quiéter et comprendre que c'était grave.

Le capitaine faisait un peu pitié, lui qui avait commis la faute en ne s'occupant pas assez du point où l'on était; il secouait ses mains en l'air, en disant :

– *Ma Doué! ma Doué!* sur un ton de désespoir.

Tout près d'eux, dans une éclaircie, se dessina un cap qu'ils ne reconnaissaient pas bien. Il s'embruma presque aussitôt; on ne le distingua plus.

D'ailleurs, aucune voile en vue, aucune fumée.

Et pour le moment, ils aimaient presque mieux cela : ils avaient grande crainte de ces sauveteurs anglais qui viennent de force vous tirer de peine à leur manière, et dont il faut se défendre comme de pirates.

Ils se démenaient tous, changeant, chavirant l'arrimage. Turc, leur chien, qui ne craignait pourtant pas les mouvements de la mer, était très émotionné lui aussi par cet incident : ces bruits d'en dessous, ces secousses dures quand la houle passait, et puis ces immobilités, il comprenait très bien que tout cela n'était pas naturel, et se cachait dans les coins, la queue basse.

Après, ils amenèrent des embarcations pour mouiller des ancres, essayer de se *déhaler*, en réunissant toutes leurs forces sur des amarres - une rude manœuvre qui dura dix heures d'affilée; et, le soir venu, le pauvre bateau, arrivé le matin si propre et pimpant, prenait déjà mauvaise figure, inondé, souillé, en plein désarroi. Il s'était débattu, secoué de toutes les manières,

et restait toujours là, cloué comme un bateau mort.

La nuit allait les prendre, le vent se levait et la houle était plus haute; cela tournait mal quand, tout à coup, vers six heures, les voilà dégagés, partis, cassant les amarres qu'ils avaient laissées pour se tenir... Alors on vit les hommes courir comme des fous de l'avant à l'arrière en criant :

– Nous flottons!

Ils flottaient en effet; mais comment dire cette joie-là, de *flotter*, de se sentir s'en aller, redevenir une chose légère, vivante, au lieu d'un commencement d'épave qu'on était tout à l'heure!...

Et, du même coup, la tristesse d'Yann s'était envolée aussi. Allégé comme son bateau, guéri par la saine fatigue de ses bras, il avait retrouvé son air insouciant, secoué ses souvenirs.

Le lendemain matin, quand on eut fini de relever les ancres, il continua sa route vers sa froide Islande, le cœur en apparence aussi libre que dans ses premières années.

Légère erreur
de navigation :
à marée basse, la passe
était trop étroite.
Il faudra attendre
six heures...

PIERRE LOTI
Pêcheur d'Islande, 1886.

*Déhalage d'une barque
boulonnaise reposant
sur le sable.*

Attachés à la barre dans la tempête

Pierre Loti décrit le mauvais temps, le moment où l'on ne pense plus à la pêche, mais à la manœuvre. La Marie *a ses écoutilles fermées et ses voiles réduites, n'ayant que la misaine...*

Yann et Sylvestre étaient à la barre, attachés par la ceinture. Ils chantaient la chanson de *Jean-François de Nantes*; grisés de mouvement et de vitesse, ils chantaient à pleine voix, riant de ne plus s'entendre au milieu de tout ce déchaînement de bruits, s'amusant à tourner la tête pour chanter contre le vent et perdre haleine.

– Eh ben! les enfants, ça sent-il le renfermé, là-haut? leur demandait Guermeur, passant sa figure barbue par l'écoutille entre-bâillée, comme un diable prêt à sortir de sa boîte.

Oh! non, ça ne sentait pas le renfermé, pour sûr.

Ils n'avaient pas peur, ayant la notion exacte de ce qui est *maniable*, ayant confiance dans la solidité de leur bateau, dans la force de leurs bras. Et aussi dans la protection de cette Vierge de faïence qui, depuis quarante années de voyages en Islande, avait dansé tant de fois cette mauvaise danse-là toujours souriante entre les bouquets de fausses fleurs...

Jean-François de Nantes;
Jean-François,
Jean-François!

En général, on ne voyait pas loin autour de soi; à quelques centaines de mètres, tout paraissait finir en espèces d'épouvantes vagues, en crêtes blêmes qui se hérissaient, fermant la vue. On se croyait toujours au milieu d'une scène restreinte, bien que perpétuellement changeante; et, d'ailleurs, les choses étaient noyées dans cette sorte de fumée d'eau, qui fuyait en nuage, avec une extrême vitesse, sur toute la surface de la mer.

Mais, de temps à autre, une éclaircie se faisait vers le nord-ouest d'où une *saute de vent* pouvait venir : alors une lueur frisante arrivant de l'horizon; un reflet traînant, faisant paraître plus sombre le dôme de ce ciel, se répandait sur les crêtes blanches agitées. Et cette éclaircie était triste à regarder; ces lointains entrevus, ces échappées serraient le cœur davantage en donnant trop bien à comprendre que c'était le même chaos partout, la même fureur - jusque derrière ces grands horizons vides et infiniment au delà : l'épouvante n'avait pas de limites, et on était seul au milieu!

Une clameur géante sortait des choses comme un prélude d'apocalypse jetant l'effroi des fins de monde. Et on y distinguait des milliers de voix : d'en haut, il en venait de sifflantes ou de profondes, qui semblaient presque lointaines à force d'être immenses : cela c'était le vent, la grande âme

Sur les clippers, tel le quatre-mâts Parma *(et même sur la petite* Marie *décrite par Pierre Loti...), par gros temps, deux hommes ne sont pas de trop à la barre. Noter la marche sur laquelle les hommes se tiennent.*

LA PÊCHE

de ce désordre, la puissance invisible menant tout. Il faisait peur, mais il y avait d'autres bruits, plus rapprochés, plus matériels, plus menaçants de détruire, que rendait l'eau tourmentée, grésillant comme sur des braises...

Et, malgré leur allure de fuite, la mer commençait à les couvrir, à les *manger* comme ils disaient : d'abord des embruns fouettant de l'arrière, puis de l'eau à paquets, lancée avec une force à tout briser. Les lames se faisaient toujours plus hautes, plus follement hautes, et pourtant elles étaient déchiquetées à mesure, on en voyait de grands lambeaux verdâtres, qui étaient de l'eau retombante que le vent jetait partout. Il en tombait de lourdes masses sur le pont, avec un bruit claquant, et alors la *Marie* vibrait tout entière comme de douleur. Maintenant on ne distinguait plus rien, à cause de toute cette bave blanche, éparpillée; quand les rafales gémissaient plus fort, on la voyait courir en tourbillons plus épais - comme en été, la poussière des routes. Une grosse pluie, qui était venue, passait aussi tout en biais, horizontale, et ces choses ensemble sifflaient, cinglaient, blessaient comme des lanières.

Ils restaient tous deux à la barre, attachés et se tenant ferme, vêtus de leurs *cirages*, qui étaient durs et luisants comme des peaux de requins; ils les avaient bien serrés au cou, par des ficelles goudronnées, bien serrés aux poignets et aux chevilles pour ne pas laisser d'eau passer, et tout ruisselait sur eux, qui enflaient le dos quand cela tombait plus dru, en s'arc-boutant bien pour ne pas être renversés. La peau des joues leur cuisait et ils avaient la respiration à toute minute coupée. Après chaque grande masse d'eau tombée, ils se regardaient - en souriant, à cause de tout ce sel amassé dans leur barbe.

A la longue pourtant, cela devenait une extrême fatigue, cette fureur qui ne s'apaisait pas, qui restait toujours à son même paroxysme exaspéré. Les rages des hommes, celles des bêtes s'épuisent et tombent vite; - il faut subir longtemps celles

des choses inertes qui sont sans cause et sans but, mystérieuses comme la vie et comme la mort.

Jean-François de Nantes;
Jean-François,
Jean-François!

A travers leurs lèvres devenues blanches, le refrain de la vieille chanson passait encore, mais comme une chose aphone, reprise de temps à autre inconsciemment. L'excès de mouvement et de bruit les avaient rendus ivres, ils avaient beau être jeunes, leurs sourires grimaçaient sur leurs dents entre-choquées par un tremblement de froid; leurs yeux, à demi fermés sous les paupières brûlées qui battaient, restaient fixes dans une atonie farouche. Rivés à leur barre comme deux arcs-boutants de marbre, ils faisaient, avec leurs mains crispées et bleuies, les efforts qu'il fallait, presque sans penser, par simple habitude des muscles. Les cheveux ruisselants, la bouche contractée, ils étaient devenus étranges, et en eux reparaissait tout un fond de sauvagerie primitive.

Ils ne se voyaient plus! ils avaient conscience seulement d'être encore là, à côté l'un de l'autre. Aux instants plus dangereux, chaque fois que se dressait, derrière, la montagne d'eau nouvelle, surplombante, bruissante, horrible, heurtant leur bateau avec un grand fracas sourd, une de leurs mains s'agitait pour un signe de croix involontaire. Ils ne songeaient plus à rien, ni à Gaud, ni à aucune femme, ni à aucun mariage. Cela durait depuis trop longtemps, ils n'avaient plus de pensées; leur ivresse de bruit, de fatigue et de froid, obscurcissait tout dans leur tête. Ils n'étaient plus que deux piliers de chair raidie qui maintenaient cette barre; que deux bêtes vigoureuses cramponnées là par instinct pour ne pas mourir.

PIERRE LOTI
Pêcheur d'Islande, 1886.

Six mois
sur les bancs

*Une vie de chien, une tâche épuisante dans le froid
et le brouillard. Des dangers continuels
et aucun confort.*

Et voici que luit, d'une douteuse clarté hivernale, le jour que les armateurs, d'accord avec les capitaines, ont fixé pour le départ. Toutes les routes du Goëlo retentissent d'un trot de chars à bancs. Sur les quais, c'est un grouillement indescriptible d'hommes, de femmes et d'enfants. On embarque les matelas, on embarque les coffres. On se bouscule, on crie, on s'embrasse. Il y a des gens qui pleurent, d'autres qui jurent. La voix de stentor d'un capitaine domine par instants le tumulte, réclamant quelqu'un de l'équipage qui manque à l'appel.

– Yvon Penguern, Nom de D...! Où est-il, Yvon Penguern?

Affalé probablement sur quelque tabouret d'auberge; à moins qu'au dernier moment le cœur ne lui ait failli et qu'il n'ait pu s'arracher à sa maison. En ce cas, il ne tardera pas à savoir ce que coûtent ces forfaitures. Le gendarme de marine, lancé à ses trousses, aura vite fait de le découvrir et de l'amener à bord, les menottes aux poignets, s'il est nécessaire. Et sa fugue lui aura valu cinquante francs d'amende qui seront prélevés sur ses gages.

Les «terriens» surtout, pris de regrets tardifs, sont sujet à ces faiblesses. Il en est qui, le pied déjà posé sur le bordage du navire, se rejettent tout à coup en arrière et

se sauvent, blêmes d'épouvante. Il faut que les autres se jettent sur eux, les ligotent et les fassent glisser sur le pont comme des condamnés à mort sur la planche à bascule. Ah! non, ils ne sont pas tous friands d'épouser la mer, les Islandais !... La plupart, cependant, font à mauvaise fortune bon visage. Et, tandis que la flottille quitte le bassin, remorquée par un vapeur, on entend monter, hurlée à tue-tête, la vieille chanson paimpolaise, à la fois ironique et navrante :

> *Si c'était la volonté de Dieu*
> *Que l'Islande fût en ces parages,*
> *Eham tira, tra la la laire!*
> *Entre le Yulc'h et Molène,*
> *Gaîment nous ferions notre pêche.*
> *Eham tira, tra la, la la!...*

Le Yulc'h, et le Molène sont des îlots à l'abri desquels les goëlettes vont passer la nuit, en rade, dans les eaux profondes du Croix-Chenal, avant l'appareillage définitif. Le spectacle est impressionnant de cette théorie de navires défilant vers l'ouverture de la baie. Longtemps les femmes les suivent des yeux, la main placée en abat-jour à la hauteur du front.

Pendant la nuit que l'on passe en rade, les équipages vaquent à leur ins-

Photo extraite du film Pêcheurs d'Islande. *Le navire et les tenues sont authentiques. On remarque sur la trinquette (première voile à droite), les garcettes de ris permettant de réduire la voilure.*

tallation. Tous les mêmes, ces intérieurs de bateaux islandais. Au milieu du pont, un trou béant permet de sonder les entrailles de la cale ténébreuse où seront empilées « en vrac », sur des lits de sel, les morues éventrées.

Sur l'arrière est située la « chambre » : c'est proprement le carré des officiers du bord, lesquels se composent du capitaine, du second et d'un ou de deux lieutenants. Le mousse a également le privilège de coucher à la chambre, mais il n'en est pas plus fier, le malheureux! Il n'y gagne que d'être à toute heure sous la main de ces messieurs, - une main qui s'abaisse vite et qui pèse lourd...

Remontons jusqu'à l'avant du navire : voici le « poste ». Pénétrons-y, tandis que l'atmosphère en est encore respirable. Loti le compare au dedans d'une mouette vidée. C'est un cube rectangulaire d'environ deux mètres de large sur trois mètres et demi de long. Un personne de taille moyenne peut juste s'y tenir debout. Une dizaine d'ouvertures, superposées deux à deux et suffisantes pour livrer passage au corps d'un homme, donnent accès à des espèces de niches aménagées dans les profondeurs des quatre parois. Ces sont les couchettes ou, pour parler comme les pêcheurs, les « cabanes » des gens de l'équipage. Contre les cabanes inférieures sont rangés les coffres, sur lesquels on grimpe pour se hisser aux cabanes d'en haut. La largeur des cabanes ne dépasse pas un mètre. Force est pourtant d'y coucher à deux : chaque pêcheur a un compagnon de lit qu'il appelle son « matelot ». Lorsque, en cours de voyage ou bien les nuits de pêche nulle, il leur arrive de prendre en même temps leur repos, ils sont obligés de se mettre de champ et, une fois qu'ils ont adopté une posture, de n'en plus changer.

Ils dorment sur les matelas bourrés de paille qu'ils ont apportés. La paille, au reste, n'est point là pour leur faire litière molle. Sa vraie destination est ailleurs. Dès qu'on approchera des mers froides, ils en arracheront une bonne poignée tous les matins pour en garnir leurs sabots-bottes, de sorte qu'à la fin de la campagne il ne subsistera des couettes que leurs enveloppes de toile bise. Quant à la paille qui les gonflait, comme le curage des chaussures se fait dans le poste, elle ne tarde pas à s'accumuler, à croupir sur le plancher en un fumier infect, arrosé d'un purin de jus de chique ou de déjections encore plus écœurantes, jusqu'à combler l'espace compris entre les coffres, jusqu'à submerger les coffres.

Les chaînes des ancres ont grincé, les voiles se déploient au vent matinal; c'est le départ, cette fois. Une à une, les goëlettes s'ébranlent, tournent l'île Saint-Rion, saluent au passage le petit oratoire de la Trinité, à la pointe de Pors-Even, font route, à l'ouest, vers l'île de Batz et, quand elles l'ont reconnue, mettent le cap au nord, dans la direction des Sorlingues.

« Durant la traversée, me conte un pêcheur, les hommes qui ne sont pas de service à la manœuvre occupent leur temps à gréer les lignes et à les disposer dans des corbeilles spécialement affectées à cet usage. On n'a pas encore désappris ses habitudes de « chrétien ». Matin et soir, quelqu'un du bord, désigné par le sobriquet de « recteur », récite à haute voix une courte prière, soit en latin, soit en breton. L'équipage, à l'appel de la cloche, s'est rangé sur l'arrière du navire et donne les répons, nu-tête. Puis le *recteur* entonne un cantique dont les versets sont repris en chœur. Qui n'assiste point à « l'office » ne peut pas participer non plus au boujaron que le capitaine a coutume de faire distribuer immédiatement après. »

Ceux-là, il est vrai, s'en vengent, en se grisant avec l'eau-de-vie qu'ils ont achetée de leurs propres deniers avant de quitter le port. Il est rare qu'un Islandais n'en glisse pas dans son bagage quelques bouteilles auxquelles il n'est que trop porté, pendant les loisirs de la route, à donner de fréquentes accolades. Ses chefs

*Page de droite :
Autre composition
artistique sur le thème
des courageux pêcheurs.*

*Ci-dessous :
La goélette française
Le Loustic B. S'échoue
à Falmouth le jour
de Noël 1936. Elle sera
vendue aux enchères
pour 25 Livres Sterling.*

sont bien souvent les premiers à lui montrer l'exemple. On cite des capitaines qui, de toute la campagne, ne mettent pas une fois le pied sur le pont. Enfermés dans leur cabine, ils passent les jours à boire et les nuits à cuver ce qu'ils ont bu. Leur responsabilité, ils la rejettent sur le second, qui la rejette sur le lieutenant... En fin de compte, on se débrouille comme on peut.

Il pousse, m'affirme-t-on, une nouvelle génération de maîtres en cabotage, plus soucieuse de ses devoirs. Espérons donc que l'histoire de l'*Augustine-Marie-Anne* ne se reproduira plus. Elle remonte à trois ans à peine. Le navire, parti de Paimpol, touchait presque aux parages de l'Islande, lorsqu'un ouragan polaire se déchaîna soudain sur lui. On tenta de fuir devant la bourrasque, mais la violence du roulis, en « chavirant » toute la cargaison de sel d'un sel côté dans la cale, avait rompu l'équilibre de la goélette qui se trouva, comme on dit, « engagée », réduite à l'impuissance, incapable d'obéir au gouvernail. Joignez qu'un paquet de mer avait enlevé quatre hommes, que le pêcheur qui tenait la barre avait les deux jambes prises

sous un fût d'eau et qu'il ne restait de valides sur le pont que des « terriens », paralysés par l'épouvante, impropres, d'ailleurs, à toute besogne maritime. Les pêcheurs terrifiés hélèrent le capitaine, le supplièrent de paraître, de commander les manœuvres nécessaires, d'assurer, si possible, leur salut. Mais, depuis le départ, il était ivre, et, lorsqu'on lui signala le danger, il déclara que c'était le moment de boire double. Furieux, les hommes finirent par l'extraire de force de sa cabine et par l'amener sur le pont. Cela ne les avança guère. Quel secours tirer de cette masse inerte, vide de pensée et qui suait l'alcool? On tint conseil. L'avis de tous fut que le plus sage était de rebrousser chemin. Le capitaine, dessoûlé, protesta, mais trop tard : on était déjà en vue des côtes de France.

Les annales de la pêche d'Islande comptent plus d'un trait de ce genre.

On va généralement prendre position sur la côte Est, dans le voisinage d'un groupe d'îlots connus sous le nom des « Trois-Rochers ». C'est là que se fait d'ordinaire la première pêche. On y séjourne du commencement de mars à la dernière

semaine d'avril. Ce sont les parages réputés pour être les plus sinistres, mais aussi les plus poissonneux. Sans perdre une seconde, l'ordre est donné de « mettre en travers ». Car il n'en est pas ici comme à Terre-Neuve. Le navire ne mouille pas, il conserve même deux de ses voiles, disposées seulement de façon que, l'action de l'une contrariant celle de l'autre, il se déplace obliquement, au gré d'une dérive lente, et présente toujours un de ses bords au vent, parce que c'est du côté du vent que l'on pêche. Les hommes ont été, au préalable, répartis en trois *sections* de sept ou huit unités chacune, lesquelles devront se succéder au travail, de quatre heures en quatre heures, à tour de rôle. Ce travail qui, de cinq mois, ne va plus chômer, voyons en quoi il consiste.

Le pêcheur, les yeux encore lourds de sommeil, s'avance sur le pont : pardessus ses bas de laine il a chaussé ses sabots-bottes : sa figure disparaît à demi dans le bonnet à oreillettes noué sous le menton et que recouvre un casque de toile huilée à visière postérieure, le suroît. La blouse ballonnée et le large pantalon rigide qui composent le « cirage » complètent son équipement. Ainsi fait, et avec le dandinement particulier aux gens de mer, il a l'air, la démarche, tous les dehors d'un ours du pôle... Autour de ses mains, il achève d'enrouler des bandelettes de molleton, - ses mitaines, dit-il, - destinées à préserver ses paumes du contact des lignes dont le glissement suffirait à les écorcher à vif.

Le voici debout contre le bordage, face au vent, à l'embrun, à toutes les inclémences des eaux farouches. Devant lui, planté dans la « lisse », du navire, est un piquet de bois ou *mec* au sommet duquel est pratiquée une fente. C'est par cette fente que le pêcheur fait « couler » sa ligne. Celle-ci, en filin de chanvre, a cent mètres de longueur; et, dans les grands fonds, il faut en rattacher deux ou trois à bout, ce qui fait un joli paquet de corde qu'alourdit encore un plomb de cinq à six kilogrammes, sans compter le poids des deux

hameçons de fer, appâtés avec de la couenne de lard, sans compter surtout le poids des morues ou des flétans qui viennent s'y prendre. On a vu des mousses, être entraînés par leurs lignes. Tant que le poisson mord, l'homme, solidement appuyé sur ses jambes, laisse glisser le filin ou le retire à lui, dans un perpétuel mouvement de va-et-vient, analogue, selon l'expression de l'un d'eux, au geste monotone d'un scieur de long, sauf qu'il faut y déployer beaucoup plus de force et que les mitaines, gelées, s'incrustent à tout moment dans la chair des mains.

Chaque section, ai-je dit, n'est censée travailler que quatre heures. Oui, lorsque la pêche donne peu. Mais, sitôt que la morue abonde, on reste devant les mecs des vingt-quatre, quelques fois des quarante-huit heures d'affilée. Fréquemment, il arrive que l'Islandais s'abatte tout d'un coup sur le pont, ivre d'un vertige d'épuisement, d'hébétude et de faim. Car on ne prend même pas le temps de manger. Et si, n'en pouvant plus, vous descendez à moitié mort vous allonger sur votre couchette, brusquement vous vous réveillez en sursaut au contact d'on ne sait quoi d'humide et de mou : c'est le capitaine qui vous passe une éponge glacée sur le visage, en criant :

– En haut, les gars! Il y a du poisson!

Il vous administre par là-dessus une large rasade d'eau-de-vie, et de nouveau l'on est sur pied.

L'eau-de-vie! Voilà, hélas! le plus clair de leur régime. Par ailleurs, pour nourriture, ils n'ont que du biscuit, souvent avarié, toujours durci comme pierre, l'éternelle salaison de midi et du soir, et le *gloria* du matin, fait d'eau bouillie, sucrée d'un peu de mélasse.

C'est avec cela qu'on alimente des corps d'hommes voués, cinq mois durant, aux pires servitudes, esclaves volontaires d'une besogne dont je n'ai pas dit encore la multiplicité.

Un pêcheur d'Islande n'est pas, en effet, que pêcheur. La morue qu'il a prise, il faut par surcroît que ce soit lui qui, avec

son couteau de boucher, la saigne, lui qui la décapite, lui qui la fende, lui, enfin, qui la lave, pour ensuite la jeter au saleur. Son labeur de jour terminé, telles sont ses distractions de la nuit.

On piétine sur le pont, dans une boue gluante, une boue de sang, parmi des monceaux de bêtes éventrées. Jamais une relâche, jamais un intervalle de franc repos, si ce n'est peut-être au déclin d'avril, lorsque le temps est venu de se rendre « en baie », à Reykjavik, pour renouveler la provision d'eau douce et livrer le produit de la première pêche aux « chasseurs », c'est-à-dire aux navires qui ramènent en France la morue de printemps destinée à faire prime sur les marchés de La Rochelle et de Bordeaux.

« Hale ligne ! » Que de choses dans ces deux mots, dans ce commandement brusque, lancé par le capitaine, au milieu du vaste silence polaire, un des premiers matins d'août ! Cela signifie : « La pêche est close. Finis, les longs martyres de l'exil ! En route pour la France ! » Dix jours, quinze jours plus tard, on les voit surgir une à une des profondeurs de l'horizon, les goélettes

retour d'Islande, avec leurs flancs grisâtres, marbrés de lèpres vertes, avec leurs voiles fatiguées et pendantes, « comme des ailes d'oiseaux blessés ». A mesure qu'elles ont mouillé en rade, une gabarre les accoste, venue pour débarquer l'équipage. Là-bas, à terre, les femmes attendent. « Et mon mari donc ? » interroge anxieusement plus d'une, après avoir dévisagé en vain tous les pêcheurs qu'elle a vus passer devant elle.

Quelqu'un de ceux-ci se hâte de répondre, non sans un tremblement dans la voix : « Il garde le bord, ton mari ! »

C'est la feinte traditionnelle, le mensonge consacré. Le lendemain, le recteur du bourg entrera chez la femme, en lui disant : « Heureuses, celles qui pleurent !... » Et les touristes qui visiteront, l'été d'après, les petits oratoires de cette côte pourront y déchiffrer, sous le porche, une épitaphe de plus : « Décédé à Islande », fixée dans la chaux de la muraille, comme un ex-voto.

19 août 1939.
Un évènement :
pour la première fois,
un Terre Neuvas rentre
à Saint Malo au mois
d'août, alors que
normalement, les navires
ne rentrent pas avant
le mois d'octobre.
Les marins jettent
aussitôt leurs sacs à terre.
Derrière la barre, il y a
la cabine du capitaine.

A. LE BRAZ
Lectures pour tous, 1898.

49

L'attente des femmes

Dans son roman Pêcheur d'Islande*, Pierre Loti évoque*
l'attente de Gaud, la Paimpolaise. Un court passage
de ce chef-d'œuvre émouvant
d'un bout à l'autre.

Elle travaille beaucoup pendant ces mois d'été. Les Paimpolaises, qui d'abord s'étaient méfiées de son talent d'ouvrière improvisée, disant qu'elle avait de trop belles mains de demoiselle, avaient vu, au contraire, qu'elle excellait à leur faire des robes qui avantageaient la tournure; alors elle était devenue presque une couturière en renom.

Ce qu'elle gagnait passait à embellir le logis - pour son retour. L'armoire, les vieux lits à étagères, étaient réparés, cirés, avec des ferrures luisantes; elle avait arrangé leur lucarne sur la mer avec une vitre et des rideaux; acheté une couverture neuve pour l'hiver, une table et des chaises.

Tout cela, sans toucher à l'argent que son Yann lui avait laissé en partant et qu'elle gardait intact dans une petite boîte chinoise, pour le lui montrer à son arrivée.

Pendant les veillées d'été, aux dernières clartés des jours, assise devant la porte avec la grand'mère Yvonne dont la tête et les idées allait sensiblement mieux pendant les chaleurs, elle tricotait pour Yann un beau maillot de pêcheur en laine bleue; il y avait, aux bordures du col et des manches, des merveilles de points compliqués et ajourés; la grand'mère Yvonne, qui avait été jadis une habile tricoteuse, s'était rappelé peu à peu ces procédés de sa jeu-nesse pour les lui enseigner. Et c'était un ouvrage qui avait pris beaucoup de laine, car il fallait un maillot très grand pour Yann.

Cependant, le soir surtout, on commençait à avoir conscience de l'accourcissement des jours. Certaines plantes, qui avaient donné toute leur pousse en juillet, prenaient déjà un air jaune, mourant, et les scabieuses violettes refleurissaient au bord des chemins, plus petites sur de plus longues tiges; enfin les derniers jours d'août arrivèrent, et un premier navire islandais apparut un soir, à la pointe de Pors-Even. La fête du retour était commencée.

On se porta en masse sur la falaise pour le recevoir; - lequel était-ce?

C'était le *Samuel-Azénide*, - toujours en avance celui-là.

– Pour sûr, disait le vieux père d'Yann, la *Léopoldine* ne va tarder; là-bas, je connais ça, quand un commence à partir, les autres ne tiennent plus en place.

Ils revenaient, les Islandais. Deux la seconde journée, quatre le surlendemain, et puis douze la semaine suivante. Et, dans le pays, la joie revenait avec eux, et c'était fête chez les épouses, chez les mères : fête aussi dans les cabarets, où les belles filles paimpolaises servent à boire aux pêcheurs.

La *Léopoldine* restait du groupe des retardataires; il en manquait encore dix.

Des jeunes filles se recueillent près des menhirs, à l'île de Sein.

LA PÊCHE

Cela ne pouvait tarder, et Gaud à l'idée que, dans un délai extrême de huit jours qu'elle se donnait pour ne pas avoir de déception, Yann serait là, Gaud était dans une délicieuse ivresse d'attente, tenant le ménage bien en ordre, bien propre et bien net, pour le recevoir.

Tout rangé, il ne lui restait rien à faire, et d'ailleurs elle commençait à n'avoir plus la tête à grand'chose dans son impatience.

Trois des retardataires arrivèrent encore, et puis cinq. Deux seulement manquaient toujours à l'appel.

– Allons, lui disait-on en riant, cette année, c'est la *Léopoldine* ou la *Marie-Jeanne* qui *ramasseront les balais* du retour.

Et Gaud se mettait à rire, elle aussi, plus animée et plus jolie, dans sa joie de l'attendre.

Cependant les jours passaient.

Elle continuait de se mettre en toilette, de prendre un air gai, d'aller sur le port causer avec les autres. Elle disait que c'était tout naturel, ce retard. Est-ce que cela ne se voyait pas chaque année? Oh! d'abord, de si bons marins, et deux si bons bateaux!

Ensuite, rentrée chez elle, il lui venait le soir de premiers petits frissons d'anxiété, d'angoisse.

Est-ce que vraiment c'était possible, qu'elle eût peur, si tôt?... Est-ce qu'il y avait de quoi?...

Et elle s'effrayait, d'avoir déjà peur...

Le 10 du mois de septembre!... Comme les jours s'enfuyaient !

Un matin où il y avait déjà une brume froide sur la terre, un vrai matin d'automne, le soleil levant la trouva assise de très bonne heure sous le porche de la chapelle des naufragés, au lieu où vont prier les veuves; - assise, les yeux fixes, les tempes serrées comme dans un anneau de fer.

Depuis deux jours, ces brumes tristes de l'aube avaient commencé, et ce matin-là Gaud s'était réveillée avec une inquiétude plus poignante, à cause de cette impression d'hiver... Qu'avait donc cette journée, cette heure, cette minute, de plus que les précédentes?... On voit très bien des bateaux retardés de quinze jours, même d'un mois. Ce matin-là avait bien quelque chose de particulier, sans doute, puisqu'elle était venue pour la première fois s'asseoir sous ce porche de chapelle, et relire les noms des jeunes hommes morts.

Gardeuses de vaches
à la pointe du Raz
par beau temps.

En mémoire de
GAOS, Yvon, perdu en mer
aux environs de Norden-Fiord...

Comme un grand frisson, on entendit une rafale de vent se lever de la mer, et en même temps, sur la voûte, quelque chose s'abattre comme une pluie : les feuilles mortes!... Il en entra toute une volée sous ce porche; les vieux arbres ébouriffés du préau se dépouillaient, secoués par ce vent du large.

L'hiver qui venait !...
... perdu en mer
aux environs de Norden-Fiord,
dans l'ouragan du 4 ou 5 août 1880.

Elle lisait machinalement, et, par l'o- give de la porte, ses yeux cherchaient au loin la mer : ce matin-là, elle était très va- gue, sous la brume grise, et une panne sus- pendue traînait sur les lointains comme un grand rideau de deuil.

Encore une rafale, et des feuilles mor- tes qui entraient en dansant. Une rafale plus forte, comme si ce vent d'ouest, qui avait jadis semé ces morts sur la mer, vou- lait encore tourmenter jusqu'à ces inscrip- tions qui rappelaient leurs noms aux vivants.

Gaud regardait, avec une persistance involontaire, une place vide, sur le mur, qui semblait attendre avec une obsession terrible; elle était poursuivie par l'idée d'une plaque neuve qu'il faudrait peut-être met- tre là, bientôt, avec un autre nom que, même en esprit, elle n'osait pas redire dans un pareil lieu.

Elle avait froid, et restait assise sur le banc de granit, la tête renversée contre pierre.

...perdu aux environs de Norden-Fiord,
dans l'ouragan du 4 au 5 août
à l'âge de 23 ans...
Qu'il repose en paix!

L'Islande lui apparaissait, avec le pe- tit cimetière de là-bas, - l'Islande lointaine, lointaine, éclairée par en dessous au soleil de minuit... Et tout à coup, - toujours à cette même place vide du mur qui sem- blait attendre, - elle eut, avec une netteté horrible, la vision de cette plaque neuve à laquelle elle songeait : une plaque fraîche, une tête de mort, des os en croix et au milieu, dans un flamboiement, un nom, le nom adoré, *Yann Gaos!...* Alors elle se dressa tout debout, en poussant un cri rauque de la gorge, comme une folle...

Dehors, il y avait toujours sur la terre la brume grise du matin; et les feuilles mortes continuaient d'entrer en dansant.

PIERRE LOTI
Pêcheur d'Islande, 1886.

Des coques et
des voiles

Page de gauche :
Sur la chaise pour réparations.

*Ci-dessous :
Tartane gréée en cotre
dans le port de Marseille, en 1905.
Elle sèche ses voiles.*

Page de gauche :
Chalutier dans le vieux
port de Saint Nazaire.

Ci-contre :
Un cotre de pêche
de Douarnenez.

Ci-dessous :
Lancement d'une coque
aux Sables d'Olonne.
Les matelots portent
d'immenses bérets.

La pêche à vapeur dévaste les fonds

*En 1900, la multiplication rapide des chalutiers à vapeur
pose déjà le problème de la survie des bateaux
de pêche à voile. Pour ceux-ci, les conclusions
de cet article ne sont guère
encourageantes...*

Au cours de la discussion du budget de la Marine qui vient d'avoir lieu devant le Sénat, M. de Lamarzelle est intervenu pour demander que les pêcheurs exerçant leur profession au moyen de bateaux chalutiers à voiles fussent protégés contre la concurrence que leur font les bateaux chalutiers à vapeur.

L'orateur s'est attaché à démontrer qu'un seul chalutier à vapeur prend autant de poissons que dix chalutiers à voiles ensemble et qu'il en résultait une surabondance de marchandises et, par suite, un avilissement relatif des prix de vente.

Il a exprimé la crainte que des fonds poissonneux de nos côtes ne fussent dévastés et dépeuplés par une pêche aussi intensive et s'est plaint qu'au ministère de la Marine ses doléances eûssent été accueillies par des fins de non-recevoir et qu'on lui eût répondu en rappelant par analogie les luttes qui eurent lieu entre les diligences et les chemins de fer à leur début.

Le ministre de la Marine a rappelé que la France ne peut exercer aucune action en dehors de la limite de ses eaux territoriales et que c'est justement en dehors de cette limite, contrairement aux assertions de M. de Lamarzelle, que les vapeurs de pêche des autres nations traînent leurs chaluts à des profondeurs que ne peuvent atteindre les chalutiers à voiles; les vapeurs étrangers, lisez anglais, continueraient par conséquent, malgré les mesures prises, à dévaster les fonds de pêche du golfe de Gascogne. Une réglementation efficace ne pourrait donc provenir, comme l'a fait justement remarquer le ministre, que d'une entente internationale et d'ores et déjà on peut prévoir qu'elle serait très difficile à obtenir, car les étrangers qui viennent pêcher sur notre littoral, en dehors des limites territoriales (et même quelquefois en dedans) n'ont aucun intérêt à gêner leur industrie maritime pour nous être agréables.

Dans cette discussion, c'est le péril futur bien plus que le danger présent qui a été envisagé, car le ministre a fait remarquer avec raison que si la pêche à vapeur constitue une innovation capable en effet de révolutionner sous peu ou d'amener une crise profonde dans les industries maritimes, c'est chez nous que cette éventualité est encore le plus éloignée et le moins à redouter, parce qu'il n'y a guère qu'une trentaine de grands chalutiers à vapeur français, contre cent trente allemands et onze cents anglais.

Il est à craindre, cependant, et à cause de cela M. de Lamarzelle a eu raison de soulever la question, qu'une crise n'éclate un jour sur notre littoral par suite d'une

*Pour l'aider à garder
son cap, le chalutier
a conservé son tape-cul.
Il sort du port
et franchit la barre.*

LA PÊCHE

*Juillet 1936. Deux chalutiers
de Boulogne surpris en train de pêcher
hors de leurs eaux territoriales
sont arraisonnés par un croiseur anglais
et conduits à Douvres.*

augmentation considérable dans le nombre des bateaux de pêche à vapeur, augmentation qu'on peut prédire déjà avec certitude, en raison des bénéfices plus grands procurés par ce genre de pêche.

Ce jour venu, l'équilibre sera rompu entre l'offre et la demande, les prix de vente seront avilis, et cesseront d'être rémunérateurs pour tous les pêcheurs quels qu'ils soient. Malheureusement, même dans ce cas, ce n'est probablement pas le consommateur qui profitera de ce bon marché mais bien plutôt les intermédiaires.

M. de Lamarzelle a donc eu raison de s'alarmer déjà en vue de l'avenir, et le ministre n'avait pas tort en répondant que c'est la loi fatale et inéluctable du progrès.

Il y a cependant quelque chose à faire, et l'État pourrait aider puissamment à résoudre favorablement la question.

En France on consomme très peu de poisson, beaucoup moins qu'on ne le ferait s'il était moins cher et plus répandu.

En Angleterre, pays où on en consomme une bien plus grande quantité qu'en France, il est sensiblement moins cher, et cependant les sociétés de pêche sont toutes prospères, tandis que chez nous, on n'entend que des doléances de tous les côtés, aussi bien dans les endroits où il n'y a pas de bateaux à vapeur que dans les autres, et récriminations entre armateurs et pêcheurs.

Comme nous le disions plus haut, le gouvernement peut beaucoup pour remédier à cette situation.

Il peut d'abord obtenir des compagnies de chemins de fer qu'elles modifient leurs tarifs qui sont formidables pour les transports rapides, seul mode de transporter le poisson et aussi que tous les trains puissent prendre de la marée.

Puis il faut encourager chez tous l'ichtyophagie comme on l'a fait en Allemagne depuis 5 à 6 ans par tous les moyens possibles : par la parole et la brochure, par des conférences et par l'exemple donné par les classes dirigeantes.

On a démontré aux populations allemandes de l'intérieur que le poisson constitue une alimentation des plus saines et des plus nourrissantes. Nul doute qu'on n'arrivât chez nous aux mêmes résultats par les mêmes moyens.

Pourquoi, aussi, ne pas donner un jour par semaine un repas de poisson frais au soldat, comme en Allemagne?

Il ne faut pas chercher ailleurs une solution de la question et le seul moyen d'arriver à contenter à la fois les pêcheurs à vapeur et les pêcheurs à voiles, c'est de prendre beaucoup de poissons et d'en vendre beaucoup à bon marché.

Quant aux grands chalutiers à vapeur, loin de vouloir en réduire le nombre ou de chercher à les supprimer, on devrait au contraire les encourager par tous les moyens possibles, si l'on ne veut pas en laisser le monopole aux Anglais et aux Allemands.

P. AMREL
Journal de la Marine
3 juin 1899.

Course de bateaux de pêche aux États-Unis

*Créé en 1908, ce défi des pêcheurs appelé
Trophée des « Grands Banks »
se courait sur un triangle
de 40 milles.*

*Page de gauche :
La goélette de pêche* Gertrude L. Thébaud,
*de Gloucester (États-Unis), essaie ses nouvelles voiles
avant d'affronter le Canadien* Blue Nose
(qui a été reconstruit en 1960).

*Ci-dessous :
18 octobre 1938 à Boston.
La première épreuve de la course internationale
de bateaux de pêche, remportée par la goélette
américaine* Gertrude L. Thébaud.

LA

GRAND VOILE

*Venant d'Adelaïde, en Australie,
le clipper* Lawhill *arrive à Gravesend,
sur la Tamise. L'équipage
cargue une des voiles basses.
Les vergues sont en fer.*

Une vie dangereuse

Le capitaine Lacroix décrit les journées de repos
et les journées de misère
des équipages.

En temps normal, les travaux divers que nécessitent l'entretien et la conduite d'un voilier suffisaient amplement à absorber l'activité de tout l'équipage, chaque homme étant utilisé suivant ses aptitudes en dehors des moments où la manœuvre les réclamait. Le temps passait vite, surtout aux ouvrages délicats de la mâture, accomplis souvent en chantant suivant l'usage très ancien des navires de commerce :

Gabier monte au mât de misaine,
Chante à pleine voix ta chanson,
D'un vent joyeux la toile est pleine.

La journée terminée, dans les brises régulières, quand la nuit épand ses effluves tièdes sur le navire qui glisse sans effort sur les eaux tropicales, la bordée de quart dormait tranquillement sur le pont où veillaient seuls le timonier et l'homme de bossoir sous la surveillance de l'officier de service.

Le dimanche matin, après le lavage quotidien et la toilette du navire, la distribution d'eau douce, parcimonieusement mesurée à raison d'un seau à chacun, permettait à l'équipage de se nettoyer et de faire la lessive de son linge.

Le pont était alors transformé en lavoir et en salle de bains où chacun exhibait son académie robuste souvent enrichie de tatouages curieux. Certains raffinés se frictionnaient mutuellement comme dans les bains publics japonais.

Pendant que linges et vêtements séchaient sur les cartahus, des groupes se formaient à divers jeux ou dansaient aux sons d'un accordéon plus ou moins savant. Le coiffeur d'occasion qu'on trouvait dans tous les équipages avait fort à faire et les artistes profitaient de ce jour pour fignoler leurs œuvres savantes : tableaux de navires, bateaux en bouteilles, coques miniatures, calvaires, pagodes ou paysages faits de minuscules morceaux de bois assemblés à l'aide d'entailles et formant un ensemble curieux tenu sans pointes, colle ou chevilles. D'autres se livraient à des raccommodages patients ou à des confections neuves de casquettes, d'espadrilles et même de pantalons en fourrure (vieille toile à voiles). Pour beaucoup, la visite du coffre contenant vêtements, souvenirs, photographies et le précieux tabac était la grande préoccupation dominicale au milieu d'un cercle de curieux. L'officier de quart, quand cela ne dépassait pas certaines limites, fermait les oreilles aux discussions qui éclataient de préférence ce jour-là où les vieux longs-courriers, après s'être privés toute une semaine parfois de

Au travail dans la mâture du quatre-mâts barque suédois Abraham Rydberg transportant du grain entre l'Australie et l'Europe. L'équipage finit d'établir les voiles.

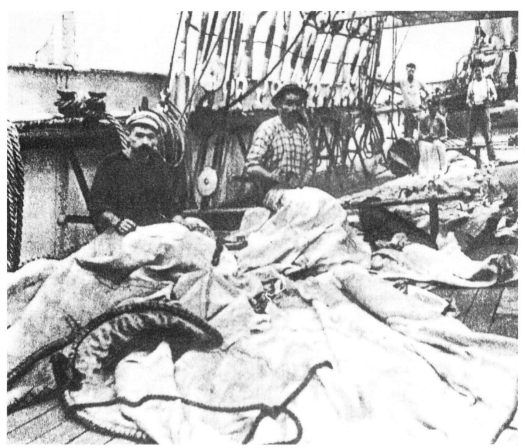

Page de gauche :
*Réparation du safran
sur le* Jean, *de Boulogne.*

*Ci-contre :
Confection et réparation
des voiles. Un bon voilier
peut coudre, en points
réguliers, jusqu'à
neuf mètres à l'heure.
Un jeu complet de voiles
est nécessaire
à chaque voyage.*

*Ci-dessous :
Sitôt les voiles établies,
si le temps est beau,
une révision totale du
gréement est entreprise.
L'équipage s'attaque ici
aux rabans tressés
(petits cordages utilisés
pour serrer une voile).*

LA GRAND VOILE

*En voyant l'état de ce voilier
après une traversée de 110 jours,
on peut imaginer la fatigue des hommes.
Noter la voilure très divisée.*

leur boujaron quotidien de tafia et l'avoir précieusement conservé dans ce but, avalaient d'un seul coup leurs six rations d'alcool. Au sud des parallèles de 40° de latitude sud, dans les divers océans, les capitaines accordaient généralement quart en haut et quart en bas, c'est-à-dire ne gardaient l'après-midi sur le pont qu'une bordée de quart. Cela était utile pour donner davantage de repos aux hommes dans les parages de grosses brises qu'annonçaient à l'avance les albatros et les malamocks en leurs vols planés sans fin autour des navires.

Les jours de misère allaient commencer et chacun arrimait de son mieux ce qu'il avait de plus précieux.

Sans rappeler ici les heures épuisantes passées dans la mâture pour étouffer une voile que le navire ne peut plus porter ou que le vent menace d'arracher, les manœuvres pénibles dans les nuits noires, sous les grains de neige et de grêle, au milieu des coups de mer glacés, la vie quotidienne était toujours plus ou moins dure. En hautes et lourdes bottes, casqués du « suroit » et ballonnés dans les cirés raides et luisants, les hommes avaient à assurer sur ce plancher mouvant qu'est le pont d'un navire dans les gros temps une tâche fatigante. Pendant des jours et des nuits, dans une course fantastique ou dérivant lentement en cape, la barque devait subir l'inapaisable furie des lames géantes roulant sans repos d'un bord sur l'autre comme un être qui souffre, sans laisser de répit à ceux qu'il soumettait à ses mouvements désordonnés et épuisants. Finies les belles soirées passées sous la caresse des alizés, sur les prélarts des panneaux; en des plongeons démesurés, le navire descendait au plus profond des lames, remon-

tant brutalement contre leurs crêtes neigeuses, son coffre plein d'eau jusqu'à la lisse, rendant le pont inhabitable. Pour circuler entre les coups de mer, il fallait s'accrocher aux filières tendues de la dunette au gaillard, et des filets raidis au-dessus des pavois empêchaient les hommes balayés par la mer de passer par-dessus le bord.

Aux premières heures de nuit, rassemblés sur la dunette, à portée de l'officier de quart, la bordée de veille attendait sous la pluie et les embruns ses ordres éventuels, pendant que le timonier, arcbouté aux manettes de la barre, portait toute son attention à gouverner ou à la mollir aux coups de tangage à pic.

En ces moments-là, certains trouvaient encore le moyen de sommeiller, cramponnés aux rateliers de tournage jusqu'à ce qu'un coup de roulis plus violent, en les déplantant, les envoie rouler sous le vent.

La relève faite, si la présence de tout le monde sur le pont n'était pas nécessaire, les hommes non de quart gagnaient, tant bien que mal, le poste d'équipage faiblement éclairé par un fanal de tempête oscillant au roulis. Les cirés humides pendus aux cloisons dégouttaient sur le plancher où les bottes avaient déjà laissé leurs traces ruisselantes.

Les anciens, sachant qu'on pouvait avoir besoin d'eux à tout moment, s'allongeaient sur leur paillasse plus ou moins sèche, roulant une chique, et reposaient leurs membres fatigués en gardant un œil ouvert...

Louis Lacroix
*Les derniers Caps Horniers français,
ouvrage réédité en 1994
par Ouest France, Edilarge.*

*Les futurs officiers
s'entraînent à carguer
les voiles.*

Les navires-école

En 1930, le vieux Borda *qui avait formé des générations d'élèves
de l'Ecole Navale disparaissait au profit d'une école
à terre et du croiseur* Jeanne d'Arc.
Souvenirs nostalgiques.

Nous tous qui avons été formés à la rude école du *Borda*, nous n'avons pas vu sans regret disparaître ce vieux navire dont les batteries avaient bercé les rêves de tant de générations de marins. Lorsqu'ayant réussi au concours, le jeune « fistot », - tel est le nom que l'on donne aux élèves dans l'argot de l'Ecole Navale, - nanti de sa feuille réglementaire ralliait le port de Brest pour embarquer à bord du *Borda*, il ne manquait point de se rendre sur le cours d'Ajot, sur les remparts construits par Vauban et qui dominent toute la rade de Brest. Là, dans cette rade merveilleuse, le *Borda* était mouillé sur son corps mort. Je me souviens de l'émotion que j'ai éprouvée après tant d'autres, en apercevant les batteries du *Borda* peintes en noir et blanc, comme au bon vieux temps du bailli de Suffren, pour troubler l'œil des canonniers qui tiraient alors à bout portant. La mâture, avec ses vergues et ses flèches qui s'estompaient dans la brume, attirait surtout notre attention, et nous pensions à la joie prochaine de monter dans les haubans à l'assaut des hunes et des vergues de perroquet. Quelques minutes plus tard, une canonnière où nous nous entassions nous conduisait à la coupée du navire.

De mon temps, la voile jouait un très grand rôle dans l'instruction des élèves. On lui donnait alors le nom de « Bouline », et c'est encore par ce terme que la désignent les élèves actuels de l'Ecole navale. La Bouline a laissé de tels souvenirs dans nos fastes maritimes, il en émane une telle poésie héroïque que son souvenir est probablement impérissable. Il y a vingt-cinq ans, alors que les sous-marins naviguaient déjà, que les cuirassés de 15 000 tonneaux faisaient leurs essais, que les croiseurs de 25 nœuds faisaient campagne, l'enseignement de l'Ecole navale était encore orienté vers la pratique de la voile et l'on se montrait alors plus fier de l'élève qui faisait seul le « chapeau du grand hunier » que de celui pour qui un moteur électrique n'avait pas de secrets : l'instruction a bien changé depuis ce temps.

A cette époque, des trois-mâts carrés servaient à notre instruction. Tous les jeudis et trois dimanches par mois, les deux promotions louvoyaient sur ces trois-mâts et s'initiaient à la pénible existence du marin à voile. Ils devaient accomplir eux-mêmes toutes les manœuvres des gabiers, monter dans les hunes, prendre des ris, carguer puis serrer les voiles, etc., et cela par tous les temps et dans toutes les saisons. Les mains des élèves, habitués dans leur famille à tous les raffinements du

*Pages 74-75 :
1938. Le fameux clipper
Cutty Sark, construit
en 1869 et qui battit
plusieurs records
de traversées entre
l'Australie, la Chine
(pour le thé) et Londres,
accomplit son dernier
voyage vers le musée
de Greenwich.
Il est manœuvré par
des cadets de la marine
marchande. A gauche,
on voit le navire-école
Worcester.*

*Pages 76-77 :
Passage de la ligne
sur un navire de guerre
français. A gauche,
un aspirant armé d'un
porte-voix s'est déguisé
en vieux loup de mer
du temps de la voile.*

confort, devaient s'écorcher sur la toile bise raidie par le froid et par l'eau de mer. Mais tel était notre enthousiasme, telle notre joie d'apprendre ce métier de gabier, que nous ne sentions la morsure, ni du vent glacé, ni des embruns. Aujourd'hui, un dundee de 180 tonneaux qui porte le nom d'un des anciens trois-mâts de l'Ecole, le *Sylphe*, est affecté à l'instruction nautique des élèves. Ils s'y initient au maniement de voiliers, un peu plus lourds que les yachts, canots ou chaloupes, qu'ils pourront avoir plus tard à manœuvrer.

Le *Borda* peut avoir disparu de la rade de Brest, l'antique vaisseau restera toujours vivant dans les souvenirs des générations d'élèves qui se succéderont sur le plateau des Quatre-Pompes. Nous lui donnions, comme nos aînés, le nom de « Baille » en raison des formes arrondies qu'avaient alors tous les vieux vaisseaux de la marine à voile. L'Ecole navale, installée à terre, s'appelle et s'appellera toujours, dans la terminologie maritime, la Baille. Fidèle aux traditions, la Baille a reçu le soin de garder pieusement le testament de la Bouline. Un aspirant, Gabolde, de la promotion 1900, tué au service commandé, a

rédigé ce testament de la Bouline que chantent encore les jeunes promotions et qui fut l'adieu de la Marine de l'avenir à la Marine du passé :

Quoique rien ne vaille
Je veux que la Baille
Garde pieusement
Mon court testament.

Pelotez vos bielles
Et vos manivelles,
Je préfère au fond
Mon humble goudron
A tout le charbon
Que soulèveront
Vos pelles.

Déjà l'invocation de cette humble chanson n'est plus « à la page », puisqu'on ne fait presque plus usage de charbon dans la marine française, mais de combustibles liquides : mazout ou gaz-oïl.

CONTRE-AMIRAL DRUYON
L'Ecole navale
La Revue des Deux Mondes, 1er août 1930.

Ci-dessus :
Le navire école Borda,
photographié en 1895
dans la rade de Brest.

Page de gauche :
« A grimper
dans les haubans! »

L'Alcyon :
Bateau-école pour les filles

*En 1929, le lieutenant de vaisseau Georges Hébert crée une école nautique féminine
à Deauville. Les jeunes filles s'entraînent
sur la goélette à hunier
Alcyon.*

*Page de gauche :
L'*Alcyon, *bateau école pour les jeunes filles,
quitte son port d'attache de Deauville
pour une courte croisière.
Au fond, le casino de Trouville.*

*Ci-dessous :
Les jeunes filles, précise
un article de* L'Illustration,
*sont toutes issues de
très bonnes familles...*

Les bateaux-école anglais

Pendant longtemps, les futurs midships se sont entraînés sur le Worcester, *équivalent de notre* Borda.

Page de gauche :
1935. Sur le Worcester,
répétition avant
une revue passée
par le premier Lord
de l'Amirauté. Les cadets
sont en grande tenue
avec les gants blancs...

Ci-contre :
Cette image donne
une idée du poids
que peut atteindre
une grand voile (près
d'une tonne).
Son transport nécessite
quarante épaules
de cadets.

Le quatre-mâts *Loire* sauve un Anglais

Journal de bord et compte rendu du naufrage du Dalgonar, *de Liverpool, rédigé par son second,*
W.A.H. Mull.

A bord du navire Loire,
de Dunkerque, le 14 octobre 1913.

« Le 23 septembre à 4 heures du soir, nous appareillames du Callao, avec 30 hommes à bord, tout compris, pour Taltal. Léger vent du Sud-Est et beau temps. Toutes voiles dessus, le navire étant très stable, on gouverne au plus près du vent, bâbord amures, cap au Sud-Ouest - Ouest. Le beau temps modéré a continué ainsi jusque par 27 Sud et 84 Ouest. Le 7 octobre, autant que je me souvienne, le vent augmenta graduellement et la voilure fut réduite en conséquence.

Le 8 octobre dans la matinée, nous eûmes un fort vent d'Est avec des temps à grains. Nous étions sous la misaine et les huniers. J'allai voir en bas, tout était bien. A midi, tout le monde étant sur le pont, on prit tribord amures, cap au Nord-Nord-Est. A 7 heures du soir, le vent et la mer ayant grossi, on serra le hunier volant de l'arrière et, à 11 heures le vent ayant encore augmenté, les deux autres huniers volants furent serrés.

Le 9 octobre au matin fort coup de vent, avec mer grossissant beaucoup, temps très pluvieux, le navire roule et fatigue énormément. A 6 heures du matin, le 1er lieutenant, M. Oxnard, descendit dans la cale et rapporta que tout allait bien en bas.

A 8 heures du matin, le vent se modéra un peu mais la mer était très grosse du Sud-Est. Le navire avait le cap au Nord-Est et Est-Nord-Est.

A 8h30, le capitaine Isbester me dit d'aller en bas avec le charpentier pour voir si le lest était bien arrimé. Nous trouvâmes tout en ordre quand nous descendîmes, mais, pendant que nous étions occupés à notre examen, un grain tomba sur le navire. Le petit hunier fixe fut emporté; les hommes de quart montèrent alors en haut pour ramasser les débris. Au même moment, le navire donna un coup de roulis beaucoup plus fort et le lest ripa un peu. Tout le monde fut appelé et nous fîmes descendre dans la cale pour réarrimer le lest qui fut encore recouvert et accoré pour le mieux. A 11h.30 le capitaine donna l'ordre à une bordée d'aller dîner.

A 3h30 p.m. un terrible grain assaillit le navire et en même temps un épouvantable coup de mer frappa par tribord. Le navire, s'inclinant, resta couché presque horizontalement, la mer déferlait par-dessus. Les épontilles et accores du lest furent arrachées et le lest jeté en grand sur le côté bâbord.

Le Garthpool *pris dans un ouragan (photo prise à bord d'un cargo en 1929). Il sombrera un peu plus tard au Cap Vert.*

LA GRAND VOILE

*Le Herzogin Cecile, l'un des plus rapides clippers
de son temps (86 jours pour relier Port Victoria
à Londres) est jeté à la côte sur les rocs,
à Salcombe (Devonshire), en 1931.*

Quelques-uns des hommes qui étaient en bas eurent les jambes enterrées dans le lest et ils ne s'en tirèrent qu'avec de grandes difficultés. Ils grimpèrent tous sur le pont et ceux de la bordée de bâbord montèrent aussi immédiatement; quelques-uns étaient presque nus. Le capitaine ordonna au charpentier de condamner les panneaux et donna des ordres pour prendre bâbords amures. La barre fut mise en grand pour laisser porter et les vergues du grand mât et mât d'artimon furent brassées en ralingue. Le navire avait le cap au Nord-Est, il arriva au Nord-Nord-Est, mais il ne put dépasser ce point. Le capitaine m'ordonna de hisser deux focs pour aider à abattre mais, tandis que nous faisions cela, l'écoute de misaine qui était toute neuve cassa et, dans une terrible secousse, le navire fut chaviré sur le côté, l'extrémité de la grande vergue et des huniers de l'arrière trempant dans l'eau.

Le capitaine Isbester se précipita dans la cabine avec le charpentier à qui il donna l'ordre de sortir les haches qui étaient dans le magasin et de se tenir paré. Le capitaine entra pour chercher quelque chose dans sa chambre, puis tous deux revinrent sur le pont. Le capitaine donna l'ordre de mettre le canot de sauvetage de bâbord à la mer, ce qui fut fait convenablement.

Six ou sept hommes montèrent dans le canot, mais il fut écrasé par les bossoirs. Les hommes purent regrimper à bord. Le capitaine commanda alors de mettre le canot de sauvetage de tribord à la mer, ce qui fut également exécuté sans retard.

M. May, 2e lieutenant, le cuisinier, le voilier, le mousse, Jones, le matelot Confrère et deux ou trois autres hommes sautèrent dedans. Ils le mirent convenablement à la mer; cependant, malgré leurs efforts, ils ne parvinrent pas à le dégager à cause des remous et du roulis.

La tête de l'avant du bossoir porta sur le cuisinier qui était près de l'étrave et l'écrasa; l'avant du canot fut brisé et la partie restante fut retournée deux fois sens dessus dessous, précipitant les hommes à la mer. Ils parvinrent à remonter à bord à l'exception du cuisinier qui était écrasé et du voilier qui fut noyé. Le matelot Confrère put atteindre le bord, mais il fut entravé dans les cordages des bras des vergues et resta accroché à la lisse pendant deux jours. Il nous fut impossible de l'approcher d'aucune façon et c'est morceau par morceau qu'il fut emporté peu à peu.

Quand notre pauvre capitaine vit que le canot de sauvetage était broyé, il dut évidemment perdre la raison, car il lâcha son point d'appui et alla frapper contre le bossoir de l'arrière, se fracturant probablement le crâne car il ne parla ni ne remua. A un moment où j'essayais, avec quelques hommes, en nous cramponnant à l'extérieur du navire, d'aller hisser les focs, je vis passer le corps du capitaine par-dessus le bord. Un remous l'entraîna au loin et nous ne le revîmes plus.

Je donnai l'ordre immédiatement de couper la mâture. Le charpentier, M. Oxnard et un homme coupèrent le gréement d'artimon. J'envoyai trois ou quatre hommes à l'avant pour essayer d'avoir des haches dans l'atelier du charpentier. En se servant de cordes, ils purent y arriver et ils commencèrent à couper le gréement de l'avant. Le mât d'artimon partit le premier et cassa environ à dix pieds du pont et juste sur le bord de la lisse.

J'encourageai mes braves officiers et mes hommes autant que je le pus pour exciter leurs efforts. Quarante minutes plus tard environ, les trois mâts étaient par-dessus bord. Le grand mât fut coupé par M. Oxnard, le charpentier et quelques hommes. Il se brisa également à 8 ou 10 pieds au-dessus du pont et au-dessus de la lisse. Ce fut alors le tour du mât de misaine qui fut cassé de la même façon, mais avec le roulis, la tête du mât de misaine se redressa, le mât se souleva de son emplanture d'au moins une dizaine de pieds et retomba avec une terrible force sur la carlingue. S'il avait manqué une seule fois de retomber sur la carlingue, il aurait sûre-

1929. Ce quatre-mâts qui transportait du sel a été abordé par un destroyer américain. Il a tendance à émerger, au fur et à mesure que le sel fond. L'équipage réfugié sur la coque attend du secours.

ment traversé le navire de part en part. Chaque fois qu'il retombait, la coque était violemment ébranlée. Nous n'espérions plus vivre que quelques heures; cependant, après que nous fûmes débarrassés des mâts, la lisse redevint visible à nouveau; mais nous ne pûmes atteindre le gréement sous le vent pour le couper, car la mer arrivait à la moitié du pont, jusqu'au bord du panneau. Dans la chambre, les cabines sous le vent étaient remplies d'eau qui brisait tout

à l'intérieur où il était tout à fait impossible de pénétrer, d'autant plus que nous nous attendions à chaque instant à ce que les mâts fissent des trous dans la coque ou à ce que le navire chavirât complètement.

J'encourageai les hommes de mon mieux en leur disant d'avoir confiance en Dieu et qu'il nous aiderait tous. Il était à peu près 8 heures du soir, la tempête continuait avec de violents grains de pluie et une mer démontée; nous étions tous ras-

semblés en dehors de la lisse sur l'arrière de la dunette.

M.Oxnard et M. May, avec quelques hommes, descendirent à l'aide de cordes dans le salon par la clairevoie et par la chambre de veille; ils fixèrent une chaise dans le salon et me firent descendre en bas à l'abri. Nous étions tous mouillés et avions froid. Nous pûmes cependant nous arranger pour trouver quelques vêtements secs qui étaient dans l'armoire de réserve et du biscuit. Le reste des hommes se mit à l'abri dans la chambre de veille et le salon à côté de moi, mais chacun d'eux était amarré à une corde pour lui permettre de remonter sur le pont au besoin.

Le 10 octobre, vers 4 heures du matin, M. May et deux hommes de veille virent un feu vert à bâbord avant. Nous saisîmes vivement quelques fusées volantes et des feux bleus pris dans la chambre de veille et nous allumâmes fusée après fusée et feu

LA GRAND VOILE

Un matelot médaillé
pour avoir sauvé un homme
tombé à la mer.

bleu après feu bleu, mais nous n'en avions pas allumé plus de deux ou trois qu'on nous répondit par un feu bleu. Dieu avait entendu notre prière et envoyé un navire à notre secours.

Au lever du jour, nous le vîmes venir dans notre direction avec ses voiles brassées carrées par notre tribord. Il vint tout près de notre arrière, sous le vent, et tous ceux qui en étaient capables témoignèrent de leur joie par trois exclamations. Le nom du navire était *Loire*, de Dunkerque. Il hissa le pavillon français avec le signal : « Voulez-vous abandonner ? » auquel nous répondîmes par l'affirmative.

Le navire vira quatre fois autour de nous ce jour-là, mais ne put nous aider à cause de la terrible tempête et de la mer en furie qui régnaient à ce moment-là. Plusieurs des hommes qui savaient nager voulaient sauter par-dessus bord, tandis que le navire était tout près de nous, mais je m'arrangeai pour les en empêcher, car j'étais persuadé qu'ils n'auraient jamais pu arriver jusqu'au navire ; et ils m'écoutèrent. Quand il fit jour, nous remarquâmes que nos trois mâts étaient partis et cassés juste en dehors de la lisse et qu'avec eux était parti le beaupré, brisé en dehors du cercle de petit foc ; les tiges de ridoirs avaient été cassés au ras de leur manchon et cela fit que nous nous sentîmes le cœur un peu plus léger. Une chose que je désire indiquer à propos de mes bons officiers et hommes, c'est que je suis très fier de dire que M. Oxnard, 2e officier, et M. Ray, 3e officier, ont fait leur devoir comme de vrais marins anglais et exécuté mes ordres à la lettre, conservant constamment tout leur sang-froid calme et travaillant ensemble pour le bien commun. De grands éloges leur sont dus. Notre charpentier, M. Dunker, s'est conduit comme un héros plein de calme et pensant aux autres comme à lui-même. Il s'est attaché à sa grande tâche comme un homme qui veut réconforter les hommes qui travaillent avec lui, en coupant les mâts, et je dois dire qu'il mérite aussi de grands éloges. Des

compliments sont également dus à tout l'équipage ; tous sont restés pleins de sang-froid et solidaires et ont exécuté mes ordres comme de nobles marins britanniques. Puisse Dieu les bénir tous et les protéger !

A trois heures de l'après-midi, quand nous nous aperçûmes qu'il était impossible qu'on nous secourût ce jour-là, nous essayâmes de nous procurer quelques biscuits et de l'eau et revêtîmes quelques vêtements secs. A l'aide des cordes, nous pûmes arriver à la pompe qui, fonctionnant très bien, nous permit d'avoir de l'eau douce, ce dont nous fûmes très heureux, car à ce moment-là, nous commencions à avoir grand'soif.

A 4 heures de l'après-midi, notre compagnon, le quatre-mât barque *Loire*, tourna autour de nous pour la quatrième fois et vint tout près sous notre arrière. Le capitaine nous fit signe de la main ; il nous pria d'être calmes et patients, et il hissa le signal de façon à nous faire comprendre qu'il avait l'intention de rester près de nous, ce que nous accueillîmes par trois acclamations ; il nous répondit de même et cela soulagea nos cœurs considérablement. Nous nous préparâmes alors à passer la nuit comme devant, consumant des feux pour la nécessité d'établir notre position et nous nous remîmes alors entre les mains de Dieu pour qu'il nous protège contre les périls de la mer.

Le 11 octobre, dès qu'il fit jour, nous étions un peu découragés en ne voyant plus le navire français. Notre héroïque charpentier et trois ou quatre hommes s'offrirent volontairement pour nous débarrasser de l'ancre bâbord qui était amarrée sur le gaillard et dont ils furent assez heureux pour réussir à couper les saisines, ce qui soulagea un peu le navire. Alors ils descendirent volontairement dans la cale, et reconnurent l'impossibilité de faire quoi que ce soit à un tel lest qui roulait de-ci de-là comme des billes avec le roulis du navire. Ils trouvèrent aussi de l'eau de l'avant à l'arrière, dans l'entrepont, mais ils

Delarue
aimable

gardèrent cela pour eux et n'en parlèrent pas aux autres hommes pour qui c'eût pu être une cause de panique.

A 10 heures du matin, le navire français était de nouveau en vue à tribord et en quelques minutes nous pouvions le voir venir à nous avec ses voiles carrées dessus. Personne, excepté ceux qui ont éprouvé une si terrible situation, ne peut penser combien cette vue soulagea nous cœurs et une fois de plus nous sûmes que nos prières avaient été entendues par notre grand Créateur. La tempête continuait toujours à souffler avec violence, grosse mer, nous avions tous une ceinture de sauvetage autour du corps et nous étions préparés pour le pire. Notre miséricordieux ami naviqua deux fois autour de nous ce jour-là et, à la seconde, il hissa un signal expliquant : « Attendez que le temps se modère ». Oh! comme nous l'acclamâmes et le remerciâmes. Nous étions dès lors sûrs qu'il ne nous abandonnerait pas, mais qu'il nous verrait mourir jusqu'au dernier ou qu'il nous sauverait. Alors nous nous remîmes entre les mains de Dieu pour une autre

nuit et nous continuâmes à veiller attentivement. A minuit le vent soufflait toujours très fort, soulevant des montagnes de mer auxquelles rien ne pouvait résister, et à tous moments nous entendions que quelque chose se brisait dans la cale, sous nous; cela partait comme un canon, le navire était secoué et tremblait d'une façon terrible.

Au lever du jour notre bon navire n'était pas en vue, mais nous ne pouvions pas voir très loin car le temps était déjà très bouché, avec de fortes bourrasques de pluie.

A 9 heures du matin, nous prîmes une Bible, qui était en même temps un livre de prières, qu'un des hommes avait en sa possession dans sa poche, et nous récitâmes une service funèbre pour notre pauvre capitaine Isbester, M. Unger (cuisinier et maître d'hôtel), H.J. Cousin (matelot voilier) et Arthur Confrère (matelot) qui avaient perdu la vie. Le service funèbre fut récité par M.A.L. May, 3e officier, qui, étant le fils d'un clergyman, était le plus désigné pour la circonstance, chantant les hymnes et remerciant Dieu pour sa merveilleuse miséricorde, en envoyant ce voilier à notre

Le Paolita *jeté à la côte près de Plymouth en 1865. Les mâts ont été démontés et une passerelle a été construite pour faciliter les réparations.*

secours, alors que nous n'avions pas vu le moindre navire depuis notre départ de Callao. Après que le service fut fini, la *Loire* fut en vue encore une fois et vint près de notre arrière et sous le vent, mais il était toujours impossible de mettre un bateau de sauvetage à la mer, celle-ci étant furieuse, avec des violents grains de pluie en rafale.

Nous tremblions comme des feuilles, étant mouillés tout le temps par la mer, les embruns et la pluie. Ce jour-là notre ami resta en vue continuellement et quand la nuit vint nous gardâmes un feu, auquel il répondit. A minuit la tempête se calma un peu et la mer tomba considérablement.

Le 13 octobre au lever du jour, le vent recommença et fraîchit encore, mais la mer s'était calmée beaucoup. Notre ami était en panne, par le travers au vent sous ses huniers et sa misaine. Il avait deux pavillons de signaux qui flottaient signifiant : « Je viens à votre secours ». Au bout de quelques minutes, nous vîmes l'équipage mettre le canot de sauvetage à la mer et venir dans notre direction sous le commandement du second capitaine, M. Yves Cadic, en risquant leur vie, car le vent fraî-

chissait et il y avait une très grosse mer. Nous fixâmes une corde de deux pouces à une bouée de sauvetage et nous la leur jetâmes car ils ne pouvaient pas s'approcher à moins de 60 brasses à cause de la forte mer, ils l'attrapèrent et nous fixâmes une corde de 3 pouces et demi qu'ils amenèrent à eux et attachèrent à l'arrière du canot. Ils avaient aussi à l'avant une ancre flottante avec 15 brasses d'aussière pour empêcher le canot de venir en travers de la mer. Alors nous prîmes notre ligne de grande sonde neuve et l'amarrâmes sur une autre bouée et la leur fîmes parvenir; nous fîmes une boucle au milieu de la ligne de sonde et le charpentier prit un retour de cette ligne à la lisse de dunette et, à tour de rôle, les hommes se placèrent dans la boucle, le charpentier les faisaient alors descendre à l'eau; et le second et un de ses hommes assis à l'arrière du canot en halant sur la ligne recueillaient les hommes sains et saufs dans le canot de sauvetage. Ce fut fait pour chacun d'eux, les vieux et les infirmes ayant été sauvés les premiers, jusqu'à ce qu'il y ait treize d'entre nous dans le canot.

L'homme, debout sous l'étrave, donne l'échelle du bateau qui sera réparé et reprendra la mer. Noter le petit buste de femme en figure de proue.

93

LA GRAND VOILE

*Un capitaine nantais décoré
pour avoir sauvé, par des manœuvres très risquées,
l'équipage d'un trois-mâts.*

J'étais dans le canot de sauvetage et j'avais avec moi tous les papiers du navire, excepté mon journal de mer (*log book*) qui est perdu. J'avais essayé de le retirer de ma chambre après notre première nuit en me penchant au dehors, mais elle était pleine d'eau et tout y était brisé et mélangé. Alors le canot partit dans la direction du navire. Nous arrivâmes le long du bord sains et saufs et nous nous préparâmes à sauter quand le canot serait au niveau de la lisse du navire où son équipage était prêt à nous saisir. Treize d'entre nous furent déposés sains et saufs à bord. Le second capitaine, M. Cadic, ne s'attarda pas même une minute avec son brave équipage, mais courageusement repartit aussitôt avec ses hommes, au risque de leur vie, pour sauver le reste de nos compagnons.

Les canotiers crochèrent alors les palans du bateau de sauvetage que nous aidâmes tous à remonter à bord aussi vite que possible, de façon à l'empêcher d'être brisé, et il fut déposé sur le pont. Nous allâmes tous sous la dunette et remerciâmes Dieu, le capitaine, ses officiers et ses matelots, et leur donnâmes trois acclamations qui partaient du cœur pour avoir sauvé notre vie au risque de perdre la leur. Les Français avaient leur deuxième canot de sauvetage paré pour le cas où quelque chose nous serait arrivé. Ils avaient aussi de très grands sacs pleins d'huile traînant à l'avant et à l'arrière, ce qui empêchait les gros paquets de mer de briser et d'inonder le canot. Quand le chargement du premier canot fut sain et sauf, je vis le capitaine qui se tenait sur la passerelle et qui pleurait comme un enfant. Je courus à lui et je remerciai; il me dit alors qu'il ne nous aurait pas abandonnés, même s'il avait eu à rester près de nous pendant trente jours, il aurait vu mourir le dernier d'entre nous ou nous aurait tous sauvés. Nous étions tous sauvés à midi. Vent du Sud et tournant rapidement encore en forte tempête. La voilure fut rétablie et on reprit le plus près de vent bâbord amures. Le capitaine, les officiers et l'équipage nous donnèrent des vêtements secs et quelque chose à manger et à boire et nous traitèrent de la façon la plus humaine.

Les hommes avaient tous une couchette dans l'entrepont avant. Le charpentier et quelques hommes firent des copeaux destinés à nous servir de matelas et le capitaine sacrifia deux bonnes toiles à voile, les découpa et fit ainsi des couvertures pour chacun de nous; c'était très propre, bon et chaud. En bas dans le poste avant, tous les hommes étaient installés très confortablement. Le capitaine et moi nous occupâmes de tous ceux qui avaient été blessés. Ils furent installés dans un endroit à part. Jones fut le premier soigné, son bras était enflé démesurément depuis l'épaule jusqu'au bout des doigts, mais l'os n'était pas fracturé. Le capitaine le lui enveloppa et lui donna une chambre dans le roof de la dunette. Notre charpentier était contusionné à la hanche et au genou et son pied aussi avait été coupé et blessé; le capitaine l'enveloppa également et l'envoya avec le charpentier du navire. Moi-même et M. Oxnard eûmes une chambre dans le salon et M. May trouva de la place avec le deuxième lieutenant de la *Loire*. Et ainsi chacun était aménagé très confortablement. Il y avait 26 d'entre nous de sauvés et le total de l'équipage était de 33, nous étions 59 hommes à bord, ce qui imposa la nécessité absolue de se mettre à la demi-ration.

De grandes louanges reviennent au capitaine Michel Jaffré, capitaine du bon navire *Loire*, pour son action héroïque en restant près de nous pendant quatre jours, faisant manœuvrer son navire tout le temps et dont le pied ne quitta pas le pont depuis le moment où il vit nos fusées jusqu'à celui où il nous sauva. »

W.A.H. MULL, SECOND DU DALGONAR
*Yacht et yachting
Août 1930.*

Donneignl
Gregoire Victor

95

Les mousses

*Pour la plupart, les mousses du long-cours étaient des enfants
de familles de marins, ayant le goût de la mer
et le désir d'y faire
leur carrière.*

Nos mères et nos grand'mères, filles et femmes de marins, nous endormaient jadis avec de vieilles complaintes qui souvent rappelaient la mer et leurs inquiétudes.

Nombreux parmi nous se souviennent encore de celle du mousse :

*Pourquoi m'avoir livré l'autre jour
ô ma mère!
A ces hommes méchants
qu'on nomme matelots,
Qui toujours aux enfants
parlent avec colère,
Et se plaisent à voir leurs cris
et leurs sanglots,*

*Ici point de pitié. Personne hélas!
qui m'aime,
Et lorsque le repas des autres se finit,
On me jette ma part en lançant
un blasphème,
Ma mère qu'as-tu fait
de ton pauvre petit!*

Le tableau était poussé trop au noir; dépasser le but c'est manquer la chose et, si il nous faisait parfois frissonner, il nous donnait aussi l'envie de rire de choses si terribles. Ce que nous voyions autour de nous était d'ailleurs un peu en contradiction avec ce que l'on nous contait et, ce n'était pas sans envie, aux beaux jours de printemps, qu'on voyait partir les mousses, alors qu'il nous fallait retourner user nos culottes sur les bancs de l'école. Dans tous les métiers, le début semble toujours dur et, parmi les marins, il peut se trouver, comme chez les autres hommes à terre, des brutes prenant plaisir à terroriser les enfants, mais ce sont des cas exceptionnels. Au long-cours surtout, les mousses du carré ou de la cuisine n'étaient pas ces martyrs dépeints par une certaine littérature soi-disant maritime. Aussi dépaysés au début que les lieutenants de cages à poules dont j'ai déjà parlé, leurs premiers jours à l'école du père Bitord pouvaient leur sembler durs. Mais, si certains ne renouvelaient pas l'expérience, beaucoup persévéraient et bon nombre d'entre eux sont devenus des sujets remarquables. Parfois même ceux qui avaient fait preuve de beaucoup de naïveté en prenant la mer arrivaient à se dessaler (c'est le terme marin) un peu trop et si certaines espiègleries de leur âge pouvaient se pardonner, il en étaient qui méritaient des sanctions.

Que de vieux commandants grisonnants ou depuis longtemps en retraite ont connu, s'ils n'en ont pas été eux-mêmes les acteurs, de ces histoires de mousses qui rempliraient un volume entier!

On ne les prenait quand même pas si jeunes! Il s'agit sans doute des enfants de l'un des membres de l'équipage. La présence de chats à bord était courante.

97

LA GRAND VOILE

Un soir d'hiver, sur le quatre-mâts *Tarapaca*, dans le vieux bassin de Saint-Nazaire, M. Le Guen, alors capitaine d'armement, avait offert le thé à quelques personnalités du port. Le mousse, un Lorientais, qui plus tard commanda le trois-mâts *Vendée*, depuis quelques jours à bord, en était à ses débuts et servait à table de façon suffisante. Les invités lui donnèrent un pourboire - royal pour cette époque - de trois francs, le cinquième de sa solde mensuelle, ce qui le combla de joie. En ces temps-là, la vaisselle se faisait sur le pont dans un baquet à cet effet qu'on vidait ensuite par-dessus le bord. Bisson, c'était son surnom, pensa bien aux assiettes et aux tasses qu'il retira et essuya consciencieusement mais oublia au fond de la baille les couteaux et les cuillers qu'il versa à la mer avec l'eau sale. Il ne se rendit pas compte du désastre qu'en les voyant tomber et fondit en larmes, craignant une sé-vère punition que le second, au courant de l'incident, lui promettait. Plus accommodant que bien des maîtresses de maison, le capitaine Le Guen intervint, lui recommanda d'être moins étourdi dans d'autres circonstances et le fit gracier. Plein de zèle et de bonne volonté, le mousse promit tout ce qu'on voulut.

Ses déboires ne faisaient que commencer. Le lendemain matin, le cuisinier lui montra à laver les serviettes salies la veille et à l'arrière, de la dunette aux haubans. Vers quatre heures, voulant ramasser sa lessive, il commença par larguer le bout amarré dans le gréement et, le pont étant bien propre, il y laissa traîner les premiers morceaux pour aller à la dunette chercher l'autre extrémité, chose qui lui semblait toute naturelle et sans inconvénients. Il avait compté sans les cochons; ceux-ci tout jeunes, nés à bord durant la traversée précédente, étaient des plus familiers et l'avaient suivi, le connaissant déjà pour être soignés par lui chaque jour. Pendant qu'il montait l'escalier de la dunette, ils eurent vite fait de s'emparer de quelques

torchons et de les déchiqueter à belles dents. Imprudemment, lâchant le bout qu'il venait de détacher, il se précipita pour sauver sa lessive, et ce fut une course épique autour du panneau où les six rusés animaux semblaient s'amuser follement de son désespoir. La lutte se finit hélas comme on peut croire : tout ce qui n'était pas en lambeaux fut piétiné, sali, et Bisson ce soir-là n'échappa pas à la main du second, souvent assez lourde.

Le lendemain naturellement il fallut recommencer la lessive de ce qui restait encore serviable; avec force recommandations, il y fut ajouté des serviettes de toilette. Le cartahu de linge, pour éviter toute surprise, fut amarré cette fois à hauteur d'homme entre les haubans d'artimon et un montant de tente; les pièces lavées, soigneusement amarrées une par une avec un nœud spécial qui, à bord des navires, remplace l'épingle à linge. La pluie menaçant, le mousse reçut l'ordre de ramasser au plus vite tout ce qui était à sécher; de grosses gouttes tombaient déjà, les nœuds du cartahu étaient durs, longs à défaire et le temps pressait. Entre deux maux, choisissant le moindre, Bisson se décida à couper les amarrages des serviettes plutôt que le cartahu. Ce fut un désastre qui lui valut plusieurs tours de peloton car, dans sa précipitation, il avait coupé les coins des serviettes. Le navire prit la mer et, trois jours après avoir quitté Saint-Nazaire, était déjà sur la côte d'Espagne sous un climat plus doux. A grands seaux d'eau, chaque matin, les seconds maîtres lavaient le dessous du gaillard et les parcs à animaux; les six cochons frottés consciencieusement à la brosse par la bordée du quart et rincés dans la baille en sortirent propres et luisants. Emerveillé du résultat et sans en faire part à personne, Bisson fit subir le même traitement aux quatre douzaines de poules dont il avait la charge et qui ne payaient pas de mine, entassées dans leur cage. Malgré le soleil qui prenait de la force, la plupart des malheureuses bêtes ne survé-

Le capitaine Louis Lacroix, auteur de passionnants ouvrages sur la vie à bord des Cap-Horniers. Il est photographié ici avec son chien, à bord du Babin Chevaye, *qui fut coulé par un sous-marin allemand en 1918.*

curent pas à ces bains prolongés et le vétérinaire improvisé retourna plusieurs soirs de rang au peloton méditer sur les inconvénients de sa médication.

Dévoué, courageux et enjoué, il arrivait vite à se faire pardonner ses bévues; un jour pourtant il faillit être dégommé de ses fonctions. Le pont venait d'être passé à l'huile pyrogénée et était propre et luisant comme une salle de danse. En apportant le traditionnel plat de fayots du soir, le mousse glissa près du panneau arrière et le dîner des officiers s'étala à l'entrée de la chambre. Sans hésiter, il recueillit le tout avec son ramasse-miettes et se crut sauvé; mais la chaleur des haricots avait fait fondre l'huile et le goudron, le ragoût était immangeable et son procédé fut peu goûté.

Bien d'autres fois encore, il eut l'occasion de se faire traiter de bon à rien puis, le temps aidant, arriva à conquérir ses grades et ses diplômes.

Rares sont ceux qui, à leurs débuts, n'ont pas connu pareilles mésaventures dues à leur inexpérience. Il en était qu'il fallait rappeler plus sévèrement à l'ordre.

Un de nos commandants de paquebots, récemment disparu, trouvait de son goût les cigarettes du second sous les ordres duquel il servait comme mousse; pris sur le fait et puni, il promit de se venger. Aux approches des mauvais temps, il savonna soigneusement la semelle des bottes de mer de ce dernier, qui faillit faire des chutes graves avant de s'apercevoir du truc.

Après un ou deux voyages, les mousses devenaient novices, puis matelots légers et, suivant leur instruction, leurs facilités et leurs aptitudes, restaient dans le rang où s'élevaient aux plus hauts grades.

Exempt de quart de nuit, leur rôle consistait surtout à être une sorte de maître d'hôtel au service du carré des officiers pour les mousses de chambre et à aider le chef pour les mousses de cuisine. Ce n'était que par beau temps qu'ils allait à la mâture serrer un cacatois ou affaler une cargue. Quand leur service leur laissait du

Le mousse dans la hune.
Gravure de 1886.
Au temps des mâts en bois,
comme aucun arbre ne
pouvait fournir un mât
d'un seul tenant, les trois
fractions étaient réunies
entre elles au niveau
de deux plates-formes en
saillie appelées « hunes ».

temps, ils apprenaient à faire de la tresse ou divers petits travaux de matelotage.

Ils faisaient partie de cette sorte de famille que constitue au bout de quelques jours de mer un équipage et, s'ils se conduisaient normalement, en remplissant leurs fonctions, n'étaient pas à plaindre.

Les seules punitions en usage étaient d'ailleurs le retranchement de vin et le pe-

loton à leurs heures de repos. Cette dernière punition consistait à rester debout un temps déterminé, avec une barre de cabestan ou d'aspect entre les bras.

LOUIS LACROIX
Les derniers Cap-Horniers français
Ouest France, Edilarge, 1940.

Les pilotins

Le capitaine Lacroix a recueilli les souvenirs
d'un ancien pilotin de la voile :
le général de Boisboissel.

«Aucune organisation n'existait encore pour former rapidement et rationnellement les pilotins à la pratique du métier... Les capitaines avaient d'autres chats à fouetter que de faire des conférences pratiques. Notre inexpérience se débrouillait comme elle le pouvait dans cet empirisme à faible rendement. Je me souviens de ma première ascension en bottes et en ciré dans la mâture, et les hommes qui montaient derrière moi me criant qu'ils n'étaient pas là pour m'attendre.

Il y avait des réjouissances réservées aux pilotins : l'exercice des cacatois. Il eut été parfaitement contraire aux traditions - et aux convenances - d'envoyer là-haut une vieille gourgane. C'était le domaine de la bigaille... Il fallait pour accéder à cette partie aérienne du gréement bon souffle, bonnes jambes et bons bras; les enfléchures n'allaient pas au delà des capelages de perroquet; il ne restait comme moyen d'ascension que la force des poignets par les galhaubans et l'itague de drisse. Ce passage des enfléchures à l'itague me faisait songer par comparaison au passage sans transition de la classe de mathématiques spéciales au métier de pilotin sur un grand clipper.

Que la mer était belle! et magnifique la vie! du haut de la vergue d'un cacatois bien étarqué.

Nous devions appareiller le 6 mai, à destination de la Nouvelle-Calédonie... Comme nous passions, en remorque, entre les jetées, le lieutenant, M. Rabin, me gourmandait en termes sybillins : « Mais, bon Dieu, passez-moi donc l'écoute de clin-foc dans ce margouillet qui est là. » C'était à peu près comme s'il eût fait un discours en chinois. Premier contact avec la réalité, le second devait être plus dur.

Ma bordée de quart descendait à minuit se coucher, et je comptais bien avoir quatre heures de repos sur ma belle paillasse en paille de maïs, achetée trois francs chez un ship chandler de Saint-François. A deux heures du matin, tout le monde en haut pour virer; il faisait une nuit d'encre et il pleuvait. Empêtré dans mon ciré tout raide, et complètement perdu dans un labyrinthe de ténèbres, je n'avais pas l'impression d'être un homme utile. Le second, M. Perodo (de l'Ile-aux-Moines), était en train de peser sur quelque chose de mal identifié et m'avait pris, sans doute, à cause de l'obscurité, pour un vrai matelot, me demandant sans cesse : «C'est pourtant bien la drisse de marquise. » En fait de drisse de marquise, j'avais surtout l'air d'un soldat du pape, comme on disait alors dans la marine à voiles pour désigner les apprentis.

« Le lendemain, 8 mai, beau temps,

Le capitaine et son second devant le roof. Il s'agit peut-être d'un bateau à vapeur, mais comme la photo a été prise vers 1880 par l'amiral Mouchez, ce bâtiment avait probablement aussi des voiles.

LA GRAND VOILE

*Certains capitaines de Cap-Horniers
n'avaient pas plus de 24 ans.*

jolie brise, Aurigny baigné de lumière sur bâbord. Puis une ombre sur les souvenirs, un trou... Je revois un grand jeune homme pâle, affalé sur une bitte en abord du petit roof, le bras et la tête appuyés sur la lisse, somnolent et s'expliquant avec le vieux Neptune. Je dois dire que tout le monde fut indulgent pour les malheurs du néophyte; quelques encouragements plus ou moins pertinents : «Mange un peu, ce sera moins dur. Fume une pipe.» J'ai d'ailleurs gardé un excellent souvenir de cet équipage du *Pergeline*, dont nous restons combien de survivants. Le capitaine Lenormand avait 24 ans; c'était son premier commandement, il avait débuté mousse à 12 ans avec son père; second, Perodo; premier lieutenant, Hily; deuxième lieutenant, Rabin; un bosco (maître), ancien Islandais; un charpentier; un mécanicien; un cuisinier (Paoli); un mousse de chambre; deux novices, Collorec de Locquémeau et Yves-Marie Noret, de Molène, un bon gars solide et rieur, que les hommes taquinaient avec persévérance sur un prétendu passé de naufrageur.

De fait, et sans rapprochement aucun, il avait vu enfant le sauvetage des deux ou trois rescapés du *Drummond-Castle*, éventré par une nuit emboucaillée de juin 1896, sur les Pierres-Vertes, et, plus tard, avait copieusement pris sa part du vin d'Espagne contenu dans les cales du *Vesper*, éventré sur le *Fromveur*. Sur ce chapitre, il n'était pas prolixe.

Et vous tous, braves matelots, au sang salé, dont les noms sonnent encore à mes oreilles comme à l'heure de l'appel au quart de la bordée montant sur le pont; le père Bihan, sexagénaire; Kernanet de Penvénan, ancien bosco, qui préférait, pour 10 francs de moins par mois, naviguer matelot et être plus tranquille; Soleu, de Paimpol; Elie; Grossin, de Saint-Malo;

les deux Le Roux; Niger; Bihan; Briand, bon père de famille, qui fut, en arrivant à Glasgow, dévalisé de tout ce qu'il avait gagné dans un bouge du port. Il dut rembarquer immédiatement à bord sans aller chez lui, regréé charitablement par chacun de nous... Qu'êtes-vous devenus au long des années d'épreuves? Combien de vous ont fait leur trou dans la «salée»? Laissez l'ancien pilotin, aux cheveux blanchis, vous adresser son souvenir ému ou... son adieu... Moustache, le chien du bord, était plus marin, ou du moins plus «Voilier Nantais» qu'aucun de nous, étant né à bord, au cours d'un voyage antérieur. Il ne connaissait pas le plancher des vaches et quand, en Calédonie, un matelot l'emmena à terre, il se révéla immédiatement si complètement dérouté par cette assise d'une inquiétante fixité, par les arbres, les maisons et autres inventions de terriennes, qu'il fallut le ramener à bord, extraordinairement agité, pour ne pas le voir se livrer aux pires extrémités.

Mais à bord, Moustache était étonnant. Il savait exactement la place de chaque manœuvre; la nuit, quand il dormait dans le poste, le bruit des garants, filant dans les poulies, le réveillait, et, quelque temps qu'il fit, il sautait sur le pont à son poste de manœuvre. On n'avait qu'à lui dire : «Moustache! aux bras de misaine bâbord», ou «Moustache! aux écoutes de guy», et il y sautait immédiatement sans jamais faire d'erreur et ne reprenait son quart en bas qu'une fois la manœuvre terminée entièrement.»

Louis Lacroix
*Les derniers Pilotins de la Voile
Imprimerie Pacteau, Luçon.*

Le shangaïage

*C'est ainsi qu'on appelait les sinistres méthodes utilisées
par des « embaucheurs » qui vendaient des hommes
(sans leur consentement), aux capitaines
désireux de compléter
leurs équipages.*

*Ci-contre :
Le capitaine Bégaud sur
le quatre-mâts* Nord.
*Noter la double barre
permettant d'avoir
plusieurs timoniers.
Trois navires portèrent
successivement ce nom
qui était celui d'un des
trois frères Bordes
(du célèbre armement).*

Un nouvel arrivant monta à bord et parut devant nous. C'était un petit homme, très-gros et très-gras, qui s'avança en roulant, comme une boule. Sa jaquette de coutil blanc, assez ample pour un homme ordinaire, ne faisait pas un pli. Il portait des cadenettes de cheveux roux, en oreilles de chien; son regard était mouillé, ses lèvres souriantes et sa face luisante de graisse, d'astuce et d'amour du lucre.

Il nous salua en français et continua à parler en anglais, comme s'il eût été plus à l'aise et qu'il se fût servi d'une langue usuelle pour le marché qui l'amenait.

Il venait d'apprendre que la *Stella* était en partance pour Cork, et qu'elle avait un équipage insuffisant. Il souffrait en pensant aux dangers qu'allait courir son brave capitaine, ses excellents passagers. Il blâma même la conduite du commandant de la station navale française, qui n'avait pas craint de refuser un léger renfort à des compatriotes. Enfin il venait proposer au capitaine de lui amener, dans l'espace de vingt-quatre heures, deux matelots vigoureux, entendus, dont l'un était Français et l'autre Grec de nation. Il vantait leurs qualités et surtout leur force. Le Grec faisait l'admiration de la ville de Lima dans une compagnie d'acrobates, où il remplissait le rôle d'Hercule de l'ancien monde; mais l'envie lui avait pris de revoir Marseille, qu'il avait quittée huit mois auparavant, et il était prêt, ainsi que le Français, à conclure marché au prix de 50 *piastres dures* par mois. C'étaient des conditions exceptionnelles, eu égard aux prétentions qu'affichaient les matelots sur cette côte du Pacifique, et il préférait en faire bénéficier le capitaine Olfus, pour lequel il se sentait

*Page de gauche :
1936. Le quatre-mâts
barque allemand* Pamir
*vient d'arriver à Londres.
Plus tard transformé
en navire école, il
disparaîtra corps et biens,
avec ses quatre-vingts
cadets, dans les années 60.*

une estime particulière. Quant à lui, il se contenterait d'un modeste bénéfice, le plaisir d'obliger son prochain, surtout des marins, étant sa plus douce récompense.

Je compris que j'avais sous les yeux un de ces embaucheurs américains qui sont la peste des villes maritimes de l'Amérique du sud. Celui-ci vendait alors des hommes au Callao. Ceux qui l'on connu savent bien quel ivrogne c'était et comme ce coquin sentait la corde. Il trompait les matelots par des promesses d'argent et d'indépendance, il chargeait des agents subalternes d'attirer les malheureuses dupes. Le soir, au moment de rejoindre le canot des *permissionnaires*, quand la chaîne paraissait plus lourde, et que les bonnes résolutions du matin étaient obscurcies par les fumées du *pisco* et la vue des *Cholas*, des *Chinas* et des *Zambas*, les entremetteurs faisaient renouveler généreusement les brocs d'alcool; et, à l'écart, les coudes sur les tables crasseuses, ils laissaient tomber les paroles tentatrices. Ils parlaient des gages qu'on donnait alors, et de la liberté.

L'habile homme qui vouait ses dupes à la misère et à l'opprobre, se tenait ainsi prudemment à l'écart. A la rigueur, il ne pouvait être inquiété que par le fait des capitaines à qui il offrait ses services; et, de ce côté, il savait bien qu'il n'avait pas grands risques à courir.

Ce jour-là, il s'adressa mal, et le capitaine de la *Stella* répondit assez rudement à toutes ces galanteries. Il ajouta qu'il conduirait la *Stella* à Cork, avec huit hommes, et qu'il en avait vu bien d'autres. L'embaucheur se le tint pour dit, et se retira comme il était venu. « Voilà un misérable qui cause plus de dommages aux navires de guerre que les épidémies et le scorbut », me dit Olfus, en le voyant s'éloigner. Mais souvent il nous tire d'embarras, et ce n'est pas nous qui le vendrons. »

*C'est pendant les longues escales que le shangaïage était pratiqué.
Ici le quatre-mâts barque finlandais* Lucky Lawhill *en rade à l'entrée de la Tamise en 1934.
Il sèche ses voiles.
L'équipage travaille à l'entretien.*

LEOPOLD PALLU
Gens de mer
Hachette, 1860.

Le canot de la Möwe *accoste le* Nantes.
Les pirates allemands
vont y placer trois bombes.

Le *Nantes* coulé
par un Boche

Paul Bertolotti, le lieutenant du trois-mâts, fait le récit de sa capture
et de sa détention pendant 17 jours
à bord du Möwe.

Nous avions quitté Iquique (Chili), le 9 septembre, à destination de Londres, avec un chargement de 3 400 tonnes de salpêtre. Nous ignorions absolument la présence en Atlantique de navires allemands.

Nos risques, par conséquent, ne devaient commencer, à notre point de vue, qu'à notre arrivée près des côtes européennes. Notre traversée s'annonçait très heureuse : nous avions passé l'équateur le 18 décembre et, à la date du 26, nous étions par 12°27' Nord et 34°01' Ouest (Greenwich), avec 78 jours de mer, en plein alizés de Nord-Est, assez frais, marchant à une vitesse de huit nœuds, cap au nord.

A 10 heures du matin, nous apercevons un vapeur, très loin, à bâbord derrière. Rien d'extraordinaire à cela. Vers le 15 décembre, nous avions déjà signalé un paquebot italien se dirigeant vers l'Europe.

Nous ne nous occupons donc plus de ce vapeur, quand, à 11h30, nous nous apercevons qu'il se dirige à grande vitesse sur nous et qu'il n'est plus qu'à environ trois milles. A ce moment-là, il hisse le pavillon anglais!

Nous hissons le nôtre, accompagné de notre numéro, et nous attendons.

Pas longtemps! car son pavillon est remplacé presque immédiatement par un autre, son véritable, celui du pirate!

Un seul cri sort de toutes nos bouches : « c'est un boche! ».

Par pavillons, il nous intime l'ordre de stopper et nous informe qu'il va envoyer à notre bord une de ses embarcations. Lui-même stoppe près de nous, à 200 mètres à peine, et l'on voit à son bord le fourmillement blanc de tout son équipage. Nous manœuvrons pour prendre la panne.

Un armement de baleinière boche arrive à bord, armé jusqu'aux dents. La plupart de ces hommes causent l'anglais ou le français. Ordre nous est donné de prendre notre bien personnel et ils commencent leur perquisition, s'emparant de tout ce qu'ils jugent bon d'emporter : pièces en cuivre de toutes sortes, conserves alimentaires, boissons fines, animaux vivants (porcs et poules), chronomètres, baromètres, montres, instruments nautiques, cartes, pavillons, lingerie, etc.

Cela dure une heure et demi environ. Tout leur butin s'amoncelle dans leur embarcation qui a déjà fait plusieurs voyages, transbordant en même temps une partie de notre équipage et son bagage.

A ce moment-là, le *Saint-Théodore* rejoint le corsaire; la présence de ce navire nous surprend : nous en aurons l'explication peu après.

Il est 1h30 quand la dernière embar-

LA GRAND VOILE

cation quitte le *Nantes*, emportant, outre le butin, le capitaine et les officiers.

En arrivant sur le pont du reader, nous sommes immédiatement photographiés, puis nos bagages fouillés et descendus dans un faux-pont demi-obscur et sans air qui sera désormais notre prison.

L'agonie du Nantes

Capitaine et officiers demeurent sur le pont afin d'assister aux derniers moments du *Nantes*. Il est 2 heures... A 200 mètres, notre navire est encore là, tout blanc sous la grande clarté du soleil tropical.

A ce moment, les derniers pirates quittent son bord, s'en éloignant rapidement après y avoir placé trois bombes.

Alors, lentement, il s'incline sur bâbord, s'enfonçant quelque peu de l'arrière; la mer envahit son pont en s'y jouant comme sur une grève.

Il s'incline alors de 40 à 50°.

A une seconde explosion, une des vergues hautes tombe et des débris de pont sautent en l'air. Comme un oiseau

Le corsaire et sa victime, le voilier français Nantes.

blessé, il semble vouloir se redresser et reprendre son essor; mais le coup reçu est mortel! Brusquement son avant s'enfonce dans les flots et, sous un angle de 30° environ, en l'espace de dix secondes, le navire entier disparaît. La mer se referme sur lui, toute d'écume où flottent quelques épaves.

C'est alors que nous nous sentons seuls - pauvres épaves nous aussi - et que notre cœur se serre.

Le reader reprend sa route, suivi toujours de son dépôt de charbon le *Saint-Théodore*. Il nous emporte comme de vulgaires colis dans l'obsession du cauchemar qui nous torture. Des factionnaires, armés de revolvers et de grenades à main, nous font descendre dans le faux-pont où nous rencontrons les équipages du *Saint-Théodore* et du *Dramatist*.

Prisonniers à bord du Mœwe

Ce faux-pont, compartiment étanche, n'est éclairé qu'à l'électricité et aéré par quatre manches à vent. Officiers et matelots y vivent en commun.

Il y fait une chaleur étouffante. Des tables et des bancs de poste sont dressés à chaque bord. Le couchage est composé de hamacs et de couvertures d'une saleté répugnante. Nous vécûmes plusieurs jours au nombre d'environ trois cents dans ce réduit de 20 mètres sur 12.

La nourriture se composait, le matin, de confiture et d'un liquide prétentieusement qualifié de café, maïs fait d'orge grillée; le midi, d'un ragoût quelconque ou d'une soupe de julienne; et, le soir, de thé et de graisse ou de beurre. Nous touchions néanmoins par jour et par homme environ 200 grammes d'un pain noir.

Nous ne voyions guère la lumière du jour, tout au plus une heure par jour en moyenne pendant laquelle nous n'avions pas assez d'yeux pour essayer de surprendre tous les secrets du navire.

Il n'y a rien d'un navire armé, à première vue, mais il ressemble en tous points au cargo-boat ordinaire.

Sa cheminée s'abaisse ou s'élève à volonté d'au moins 1m50. Sa mâture haute possède la même disposition. Sous le gaillard, aux parois rabattables, il possède deux canons de sept pouces, et sur l'arrière du gaillard deux canons de cinq pouces; sur le pont avant deux tubes lance-torpilles et sur le pont arrière deux autres tubes; sur la dunette, un autre canon, de plus faible calibre, est recouvert par la tortue de la barre.

Au premier signal, les parois du navire se rabattent et découvrent tous les engins. Sur la dunette, il dissimule de petites mines qu'il peut lancer sur l'arrière afin de se protéger contre les navires mis à sa poursuite.

Sur le pont, la nuit, c'est l'obscurité la plus complète, et le reader s'en va, noir, à une vitesse de quinze nœuds, tel un vaisseau fantôme, à la recherche du paisible navire qu'il coulera sans merci, même avec son équipage, à la moindre résistance de celui-ci.

Tout à bord est disposé pour ne laisser apercevoir au dehors aucune lumière : les hublots sont fermés par des plaques de tôle mises en place à la tombée de la nuit. Chaque porte en s'ouvrant éteint, à l'intérieur, les lampes électriques qui se rallument dès que la porte se referme; et dans la cuisine, on ne trouve qu'une lumière diffuse, bleuâtre, que des rideaux épais empêchent d'apercevoir de l'extérieur. Les cuisiniers, afin de voir dans les marmites, y introduisent, en les allumant, des lampes électriques qu'ils éteignent avant de les ressortir.

Il me serait absolument impossible de fournir des renseignements précis sur les routes parcourues par ce navire allemand durant notre captivité. Nous ne connaissions notre situation géographique qu'à chaque arrivée de nouveaux prisonniers. Cependant, à force d'attention nous arrivions à connaître les quelques manœuvres exécutées sur le pont.

Le *Saint-Théodore* fut muni d'appareils de T.S.F. Le 28 décembre, il fut armé par le reader de deux canons de 65 mm, puis, ayant fait tout le jour et une partie de la nuit différentes provisions il disparut pour ne plus reparaître. L'Allemagne possédait dès lors un nouveau pirate.

Le 2 janvier, le quatre-mâts *Asnières*, de la Société générale d'armement, était coulé dans les mêmes conditions que l'avait été le *Nantes*. Nous étions à ce moment-là par 3°16' Nord et 29°10' Ouest.

Le dimanche 7 janvier fut marqué par une nouvelle prise. Il était 9 h45 du soir quand une sonnerie retentit près de nous. Aussitôt les factionnaires fermèrent toutes les issues de notre compartiment étanche. Le navire avait augmenté de vitesse et nous entendîmes sur le pont et le long du bord le rabattement des parois et la mise en batterie des tubes lance-torpilles. Par une lucarne demeurée ouverte dans une des portes étanches, nous vîmes un factionnaire, revolver au poing, muni d'un masque et d'un appareil à gaz asphyxiants : tout cela nous était réservé, à notre moindre mouvement de révolte.

Quelques coups de sifflet retentirent, puis un coup de canon ébranla le navire qui stoppa presque aussitôt.

Alors à ce moment nous sentîmes la grandeur du danger couru, là, dans notre prison, dans l'impossibilité de fuir si, frappé à mort par quelque navire armé, le reader s'engloutissait dans les flots. Et nous

demeurions comme figés, dans la même position, les uns près des autres, attendant, une mort terrible, dans notre prison d'acier.

A 3 heures du matin, le corsaire a de nouveau achevé son œuvre destructive : le vapeur anglais *Rudnorshire* a été coulé (sa perte est évaluée à 13 millions de francs). Son équipage vient grossir notre malheureuse colonie. Nous sommes alors par 8°16' Sud et 33°Ouest, soit environ cent vingt milles de Pernambuco.

Le mardi 9, une alarme identique se produit. Le vapeur anglais *Winich* est coulé et nous apprenons par son équipage la présence à quelques milles de navires de guerre anglais qu'il était chargé de ravitailler en charbon. S'ils nous rencontrent, nous sommes tous perdus!

Le reader continue sa route, braquant sur la mer ses jumelles puissantes. Dans la mâture, sur les passerelles et même sur le pont, tous veillent, tous fouillent l'horizon en quête d'adversaires; et c'est cette veille continuelle, attentive et soutenue, cette attention sans relâche qui fait la force du corsaire.

Le 10 janvier, par 7°37' Sud et 30° Ouest, le vapeur anglais *Netherby-Hull*, allant de Calcutta à Cuba avec un chargement de riz, est coulé à coups de canon.

Le nombre des prisonniers augmente rapidement. Les Boches songent enfin à se débarrasser de nous.

Le pirate nous débarque

Le 12 janvier, par une mer plutôt houleuse, nous sommes transbordés avec nos bagages sur le navire japonais *Hudson-Maru*. Et à 10 heures du matin, nous avons la joie de voir s'éloigner le pirate.

J'ai vu
3 mars 1917.

La plus petite prise de la Möwe *: le trois-mâts goélette* Duchess of Cornwall.

115

Le langage professionnel

*L'ancien officier de marine G. de La Landelle donne,
non sans humour, la signification des termes
les plus usités du vocabulaire
maritime.*

Les *ris*, à la bonne heure!... S'ils ne font pas rire souvent, du moins ils donnent aux voiles carrées une physionomie particulière. On voit frétiller comme des anguilles, des deux côtés d'une voile larguée, une, deux, trois et jusqu'à quatre rangées horizontales, de petits cordages qui se tordent, bondissent et rebondissent au tangage ou au roulis. Que signifie ces sortes de franges? à quoi peuvent servir tous ces bizarres bouts de corde qui passent par des trous ronds, très étroits, et alignés sur la toile? Quels noms portent-ils?

Ils se nomment *garcettes de ris*, et les trous dans lesquels on les a passés sont des *œils de pie*, ouvrage solide des fabricants de voiles qui savent, eux, quel doit être leur rude emploi. Aussi, à la hauteur où on les perce, les fabricants ont-ils grand soin de coudre un renfort de toile qui s'appelle *bande de ris*.

A partir de la vergue, en prenant un hunier pour exemple, ces bandes sont espacées entr'elles d'un huitième environ de la longueur de la voile. - Chacun de ces huitièmes est à proprement parler *un ris*.

PRENDRE UN RIS, c'est diminuer de cette quantité, par un *ferlage* (serrage) partiel, la surface d'une voile.

Notre frégate, favorisée par une brise ronde et maniable, porte vaillamment,

entr'autres voiles, ses trois huniers *à tête-de-bois*, c'est-à-dire aussi haut que possible, et par conséquent en leur entier.

Mais le ciel se couvre, l'œil vigilant du marin entrevoit la possibilité d'un surcroît de vent; par mesure de prudence, et sans même diminuer en rien le reste de la voilure, le capitaine donne l'ordre de *prendre le ris de chasse* ou en d'autres termes le *premier ris*.

Alors les vergues des trois huniers dont on larguera les drisses glisseront de haut en bas le long des mâts de hune. Les vergues une fois *amenées*, descendues à la hauteur convenable, on les consolide dans cette nouvelle position en raidissant leurs *bras* et une escouade de matelots est envoyée sur chacune d'elles.

Au-dessous de la vergue pend le *marche-pied* maintenu de distance en distance par ses *étriers*. - La poitrine sur la vergue, les pieds sur les marche-pieds, les hommes saisissent à pleines mains, crochent la toile du ris et sont aidés dans leur pénible travail par les palanquins (petits palants). Dès que les matelots atteindront les garcettes, l'opération sera fort avancée. Enfin la bande de toile méthodiquement appliquée sur la vergue y sera serrée par chacune des garcettes, tandis que deux gabiers auront pris *les empointures*, c'est-à-

Le clipper quatre-mâts barque Abraham Ryder. *Sur chaque mât on voit, de haut en bas :
le petit cacatois,
le petit perroquet,
le petit hunier,
la misaine et
la grand voile.*

VOILES MAJEURES	Surface en Mètres carrés	Hauteur au-dessus de la flottaison
Voile barrée	171	10,20
Voile de perroquet de fougue fixe	86	17,75
Voile de perroquet de fougue volant.	78,75	22,20
Voile de Perruche	82	27,90
Grand' Voile	250	11,10
Voile de Grand Hunier fixe	147,63	20
Voile de Grand Hunier volant	145	25,70
Voile de Grand Perroquet fixe	86,62	32,15
Voile de Grand Perroquet volant	100,05	36,50
Voile de Misaine	250	11,10
Voile de Petit Hunier fixe	147,63	20
Voile de Petit Hunier volant	145	25,70
Voile de Petit Perroquet fixe	86,62	32,15
Voile de Petit Perroquet volant	100,05	36,50
Voile de Faux Foc	45	13,70
Voile de Grand Foc	54	14,75
Total de surface voiles majeures.	1.975,35	

TOILES LÉGÈRES	Surface en Mètres carrés	Hauteur au-dessus de la flottaison
Cacatois de Perruche	62	33,75
Voile d'Etai de Fougue	86	10,65
Voile d'Etai de Perruche	72	19,90
Voile de cacatois de Perruche	40,50	26,40
Grand Cacatois	72,67	41,90
Voile d'Etai de Hune	120	13,20
Voile de contre Etai de Hune	61	16,60
Voile d'Etai de Perroquet	83,90	22
Voile d'Etai de cacatois	63	27,60
Petit cacatois	72,67	41,90
Petit Foc	45	12,65
Clin foc	53,47	16,40
Total des voiles légères	832,21	
Report des voiles majeures	1.975,35	
Artimon de cape	100	
Surface totale de voilure	2.907,56	

Page de gauche :
Tableau des voiles extrait
de l'ouvrage du capitaine
Lacroix : « Les derniers
grands voiliers ».
C'est la voilure des sept
trois-mâts-carrés
de la série E, lancés
à Nantes en 1901 par
les Chantiers de la Loire.

Ci-contre :
Matelots serrant
un hunier.

Ci-dessous :
A gauche, mâture
à pible (mât sans hune
d'un seul tenant).
A droite, misaine et petit
hunier sur les cargues
(les voiles sont relevées
sur les vergues).

Mature à Pible.

Misaine et Petit Hunier sur les Cargues.

119

Le 10 janvier 1935, la goélette italienne San Gerardo, *prise dans une tempête au large de Porquerolles, a toutes ses voiles emportées par le vent. Après 120 heures de lutte, les sept hommes d'équipage ont pu être sauvés et la goélette prise en remorque jusqu'à la base d'hydravions de Saint Mandrier.*

*Page de droite :
Les hommes sont attelés au cabestan, sans doute pour lever une charge.
Le cabestan
est un treuil permettant les manœuvres lourdes, comme relever l'ancre.
Photo du clipper transporteur de grain* Lawhill, *prise du haut d'un silo, à Londres.*

dire auront attaché avec un soin tout spécial les deux nouveaux coins de la voile aux bouts (aux *pointes*) de la vergue. Les trois huniers, réduits d'un huitième par le ris de chasse, seront immédiatement rehissés, mais n'arriveront plus *à tête-de-bois*.

En mer, presque tous les soirs, à bord des navires de guerre, on prend le *ris de chasse*, ainsi nommé parce que, dans le cas où l'on apercevrait un navire qu'il conviendrait de *chasser*, de poursuivre, le premier soin serait de *larguer le ris de chasse*, comme on largue tous les matins, si le temps le permet, en faisant l'opération inverse de la précédente.

Survienne le mauvais temps, on prendra deux, trois ou quatre ris, le dernier s'appelle naturellement le *bas ris*.

Pour qu'un grand navire prenne le *bas ris* ou *tous les ris* aux huniers, il faut qu'il vente très-fort.

Pendant une tempête qui permet toutefois de faire route, on navigue généralement sans autres voiles que le grand et le petit huniers au bas ris, plus le petit foc à l'avant, et derrière, pour équilibrer la voilure, on aura soit le perroquet de fougue au bas ris, soit l'*artimon*, voile aurique de mauvais temps qui remplace la brigantine. Souvent encore, on a la misaine avec le ris pris.

Bref, que la ceinture ou le pantalon d'un matelot soient trop larges, il y prend un ris en les diminuant, en les resserrant. Que le jupon de Madeleine tombe sur ses talons : « Ma fille! il faut y prendre un ris », lui dit maître Brulard, son respectable père. Mais au contraire, que Madeleine l'ait retroussé plus qu'il ne convient : « Ah ça! s'écriera-t-il, veux-tu bien me larguer deux ou trois ris dans cette jupe-là! »

– Tu as mal soupé, prends un ris dans la basane de ton ventre. (Le populaire dirait serre-toi le ventre.)

On largue un ris pour augmenter la vitesse; voyant passer ces marins, l'un d'eux s'aperçoit qu'ils sont en retard : « Larguons un ris », dit-il - et les voici qui pressent le pas; « Larguons tous les ris ». Les voilà qui se mettent à courir.

G. DE LA LANDELLE
Le langage des marins
Dentu, 1859.

*L'*Abraham Rydberg, *l'un des derniers survivants de la course des blés d'Australie, photographié d'un avion en 1934, à 15 milles du Cap Lizzard. Le navire suédois a accompli la traversée Australie-Europe (5000 milles) en 108 jours, battant largement son concurrent, le* Willaroo, *malgré une tempête qui l'a privé de quelques voiles. Noter la forme triangulaire des grands voiles.*

Auf dem Quarterdeck eines hamburger Auswandererschiffs. Originalzeichnung von Knut Ekwall. A.D. 1874.

L'arrivée de la vapeur

*En 1860 déjà, la concurrence avec la vapeur commence
à se faire sérieusement sentir.
Réflexions d'un marin
lucide.*

Enfin, la vapeur est sur le point d'introduire, dans les populations de la mer, quelles que soient leur nationalité, une modification profonde, dont on ne paraît guère s'être avisé jusqu'ici. Il suffirait pour la distinguer, de considérer le pont d'un navire à vapeur quand il est en marche. Tout y dort, tout y est apathique et somnolent, l'équipage, les officiers; et la vigilance même y prend une forme nouvelle. C'est qu'on se fie à quelque chose qui remplace tout : une machine. Quand un élément étranger se substitue ainsi à l'activité humaine, toute idée de lutte disparaît; l'âme, la marine, s'en vont, et l'on peut voir ici une preuve de l'enchaînement indestructible des idées et du pouvoir de l'esprit sur le corps. Sur ces flottes nouvelles, qui doivent remplacer les anciennes, la physionomie des équipages peut être indiquée d'avance : ce sera l'apathie et la somnolence.

Mais la marine marchande continuera encore de naviguer à la voile, parce que la vapeur coûte trop cher : elle formera des marins, et l'on verra ici ce qui se passe dans presque toutes les transformations humaines, une vieille chose en coudoyant une nouvelle. Ces esquisses ne sont donc pas encore des esquisses rétrospectives; et, à ceux qui aiment les marins, je dirai que la petite troupe de *la Stella*, en bottes de mer et en vareuses rouges, découvrait ses vertus tout entières, sans songer qu'on pû les regarder, sans penser à s'en faire gloire. Elle allait, comme le centenier de l'Evangile : à droite, quand on commandait à droite; à gauche, quand on disait à gauche. Sa physionomie était l'action concentrée. C'étaient là des hommes. A peine eût-on pu, au bout de cent vingt-cinq jours de vie commune, reconnaître le son de leur voix; on entendait seulement crier le mousse qui tourmentait le cuisinier dans sa cabine, dressée sur le pont; quelques fois, le paralytique qui se plaignait. Dans les jours de beau temps, quand le pont était sec, ils s'asseyaient avec des attitudes rigides et monacales, et réparaient leurs hardes, ne sonnant mot, comme s'ils eussent fait vœu de silence. Il y a peu de réunion d'hommes, à terre, qui rendraient l'autorité aussi facile.

Aucun d'eux ne mériterait un portrait ou même une esquisse : ni le grand Jean, ni le gros Pierre, n'avaient tant d'importance; mais, réunis, ils offraient l'image d'une famille à part, qui se donne à elle-même un nom poétique, plein d'une saveur étrange : les gens de mer. Ne dirait-on pas une peuplade inconnue, qui se sépare volontairement des autres hommes, qui garde ses usages, son langage, ses mœurs?

*Paquebot mixte,
à voile et à vapeur,
transportant
des émigrants vers
l'Amérique. On cargue
la misaine car
le vent se lève.*

LÉOPOLD PALLU
*Les gens de mer
Hachette, 1860.*

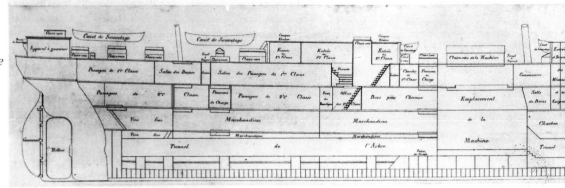

Le Labrador, *paquebot
à voilure auxiliaire
de la Compagnie Générale
Transatlantique (ligne
France-Amérique).
Ses voiles contribuent
à augmenter sa vitesse
et à réduire le roulis.*

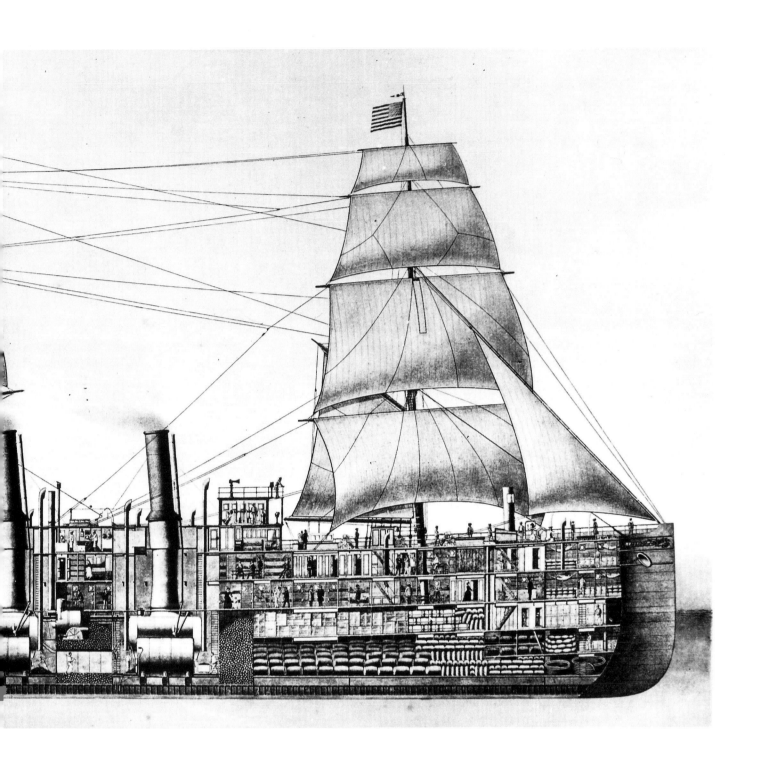

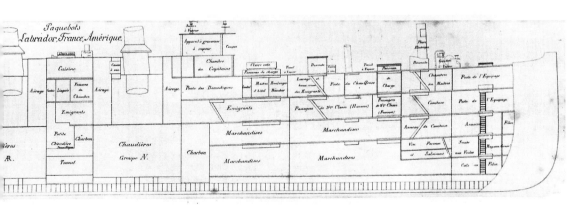

Paquebots
Labrador, France, Amérique.

Abordage en Manche

Un exemple des abordages causés en Manche par suite de mauvaise estimation de la vitesse d'un navire à voile. Il s'agit d'un bateau de la société allemande P. Laeisz dite compagnie des P car tous les noms de ses navires commençaient par la lettre P.

Le 6 novembre 1910, leur superbe cinq-mâts *Preussen*, l'orgueil de la marine marchande germanique, faisait route, tout dessus par fraîche brise favorable du sud-est, pour sortir de la Manche.

La nuit était légèrement brumeuse, mais le vent qui fraîchissait avec un baromètre en baisse empêchait le brouillard de s'épaissir. La vue, sans être normale, était suffisante, et on percevait nettement les sons des sirènes et des cornes à brume tout en repérant les feux à distance assez grande pour pouvoir manœuvrer.

Il était près de minuit, et le second capitaine se disposait à faire appeler la bordée de relève, quand il aperçut un petit paquebot, très brillamment éclairé, qui cherchait à passer sur son avant au lieu de le doubler sur l'arrière comme il aurait dû le faire.

Etant donné la vitesse du cinq-mâts, l'abordage était inévitable et le *Brighton* - c'était le nom du paquebot - allant de Newhaven à Dieppe vint, à douze nœuds de vitesse, heurter de bossoir bâbord du *Preussen* en enlevant son bout-dehors.

Le choc fut formidable car le voilier dépassait alors largement ses dix nœuds.

Le beaupré, en tombant de son étambrai, avait balayé les superstructures tribord du *Brighton* au-dessus de la chambre des machines et ses embarcations, mais arracha en même temps les galhaubans et étais le reliant au mât de misaine du voilier dont la partie haute tomba sur le long gaillard du *Preussen*.

Les formes évasées du voilier avaient amorti un peu le heurt qui s'était produit heureusement à cinq mètres sur l'avant de sa cloison étanche d'abordage, et la vitesse des deux navires les sépara rapidement, le paquebot suivant le voilier, entraîné par son immense voilure, pour lui porter assistance, si besoin était.

Le capitaine allemand, notre collègue Nissen, bien connu des cap-horniers français, se rendant compte que son navire pouvait se maintenir à flot et prévoyant un coup de vent de suroît annoncé par son baromètre, fit route sur Dungeness, relâche la plus proche, pendant que le *Brighton* rentrait à Newhaven pour débarquer ses passagers, passer en cale sèche se réparer et alerter les remorqueurs du port.

Quand le capitaine Nissen laissa tomber ses deux ancres à la fois sur rade de Dungeness, il ventait coup de vent et ses deux chaînes coupèrent, mais les vents qui avaient hâlé le sud-ouest lui permirent de mettre le cap au large. Les remorqueurs de Douvres et de Newhaven, sortis à son secours, réussirent à lui passer des remorques

Le 16 mars 1912 dans la Manche. Le quatre-mâts barque allemand Pisagua *est abordé par le paquebot* Oceana *de la ligne Londres-Bombay, qui coule presque aussitôt, les passagers réussissant à quitter le navire sans accident. On voit ici le* Pisagua, *dont la proue est défoncée et une voile déchirée (ses étais sont rompus).*

Ci-contre :
Le charbonnier
*l'*Amazon, *coupé*
en deux, repose sur
une plage près
d'Ostende.

et firent tous leurs efforts pour le présenter dans les passes de Douvres.

Le dimanche 7 novembre, vers 5 heures du soir, le vent se déchaîna en furie; malgré cinq remorqueurs attelés à son énorme masse, le grand-mâts vint s'échouer en travers, un peu après l'heure de la basse mer, sous les falaises de Douvres, talonnant fortement dans une mer démontée.

L'équipage, réfugié sous le gaillard, recouvert parfois par les lames, vécut des heures angoissantes, trempé jusqu'aux os, dans l'attente d'un sauvetage problématique qu'une embellie pouvait seule permettre de tenter avec les canons porte-amarres, les canots de sauvetage et les remorqueurs guettant la première occasion favorable. Toute la journée du 8 novembre, des essais infructueux furent faits par tous les moyens possibles pour communiquer avec l'épave. Descendant même par des échelles de corde de deux cents pieds de long à l'aplomb de la falaise à pic, d'intrépides sauveteurs tentèrent durant des heures, à marée tombante, d'établir des va-et-vient avec l'épave, mais durent y renoncer. Malgré la pluie tombant à torrents, des milliers de spectateurs suivaient avec anxiété, du haut de la côte, les tentatives audacieuses et risquées faites de temps à autre par les sauveteurs qui disposaient de douze puissants remorqueurs anglais, allemands, belges et hollandais, de quinze

bateaux de sauvetage et de nombreux canons porte-amarres, etc...

Ce ne fut que le 9 novembre au matin que, la mer et le vent ayant molli, les premières personnes du bord furent embarquées sur les bateaux de sauvetage qui terminèrent heureusement leurs opérations avant la nuit, marquée par le départ du capitaine Nissen, quittant son bord le dernier avec son pavillon.

Les premiers sauveteurs lui avaient fait passer copie d'un télégramme de félicitations de l'empereur Guillaume pour sa belle conduite, mais il ne consentit à quitter son bord que lorsqu'il eut la certitude que le navire était définitivement perdu.

Le sauvetage de la cargaison de 6.000 tonnes de diverses marchandises - dont cinq cents pianos - dura de longs mois, entravé par les mauvais temps de l'hiver de 1910 - 1911, et tout ce qui avait quelque valeur fut récupéré.

Aucune vie humaine n'avait été perdue au cours de ces heures dramatiques et bien après la première guerre mondiale, la coque géante se détachait encore en noir sur les fonds clairs des falaises de Douvres.

Louis Lacroix
Les tragédies de la mer
aux derniers jours de la voile; 1958,
Ouest France, Imprimerie Pacteau, Luçon.

Page de gauche :
Ancré au large de
Sainte Maxime par suite
de la tempête,
le trois-mâts italien
Chiara Paolinelli,
de Viareggio, a cassé
ses amarres avant
de venir s'échouer sur
les rochers. Les habitants
de Sainte Maxime ont
réussi à sauver
l'équipage en établissant
un va-et-vient entre
la côte et le navire.

Salués
par un paquebot

Le trois-mâts-barque le Dieppedalle, *qui revient*
de Nouvelle Calédonie par le cap Horn,
croise la Lorraine *de la Compagnie*
Transatlantique.

C'est dans un de ces moments-là que nous apercevons au loin la *Lorraine*, de la Compagnie Transatlantique. Imposante, elle s'en vient vent arrière et la violence du vent rabat sur son avant les énormes panaches de fumée que vomissent ses deux cheminées.

– On dirait qu'il met le cap sur nous, me dit mon second.

C'est exact. Le commandant n'a pu résister à l'envie de communiquer avec nous. Et puis, quel beau spectacle à donner aux passagers que ce grand voilier gîté sur bâbord et sans cesse couvert jusqu'à la vergue de misaine par les paquets de mer! Le grand paquebot passe tout près au vent à nous. Tout le monde est sur le pont, uniformes impeccables des officiers, toilettes élégantes de l'après-midi. Quel contraste avec nos rudes cirés et nos lourdes bottes! Pourtant nous éprouvons une certaine fierté à nous dire que nous sommes de vrais marins.

Est-ce curiosité? Est-ce sympathie de la part des passagers qui nous dominent de la hauteur des ponts? Tout d'un coup, tandis que par tableaux noirs nous communiquons d'un navire à l'autre, des cris s'élèvent, des mains, des mouchoirs s'agitent et le vent nous apporte des vivats et des applaudissements.

Qui saluent-ils? Les lutteurs de la mer? La vaillance de notre *Dieppedalle*? Il vient justement d'encaisser un coup de mer plus dur que les autres.

– C'est la foire aux élégances. Ils ne s'en font pas.

– Là-dessus, les poules ne se mouillent pas les pattes.

– Eh bien, j'aime encore mieux être à ma place qu'à la leur.

– Vous exagérez, père Le Goff.

– Pas du tout. Vider des crachoirs et astiquer des cuivres du matin au soir, c'est pas un métier. Y a pas besoin d'être marin.

En haut :
Le paquebot Lorraine,
de la Compagnie Générale
Transatlantique, sort
du port du Havre.

En bas :
Le luxe douillet d'une
cabine de première classe
à bord du Lorraine.
Rien à voir avec
le confort spartiate
d'un Cap-Hornier...

RENÉ CHAVÉRIAT
Ceux de la voile
Guy Le Prat, Paris, 1946.

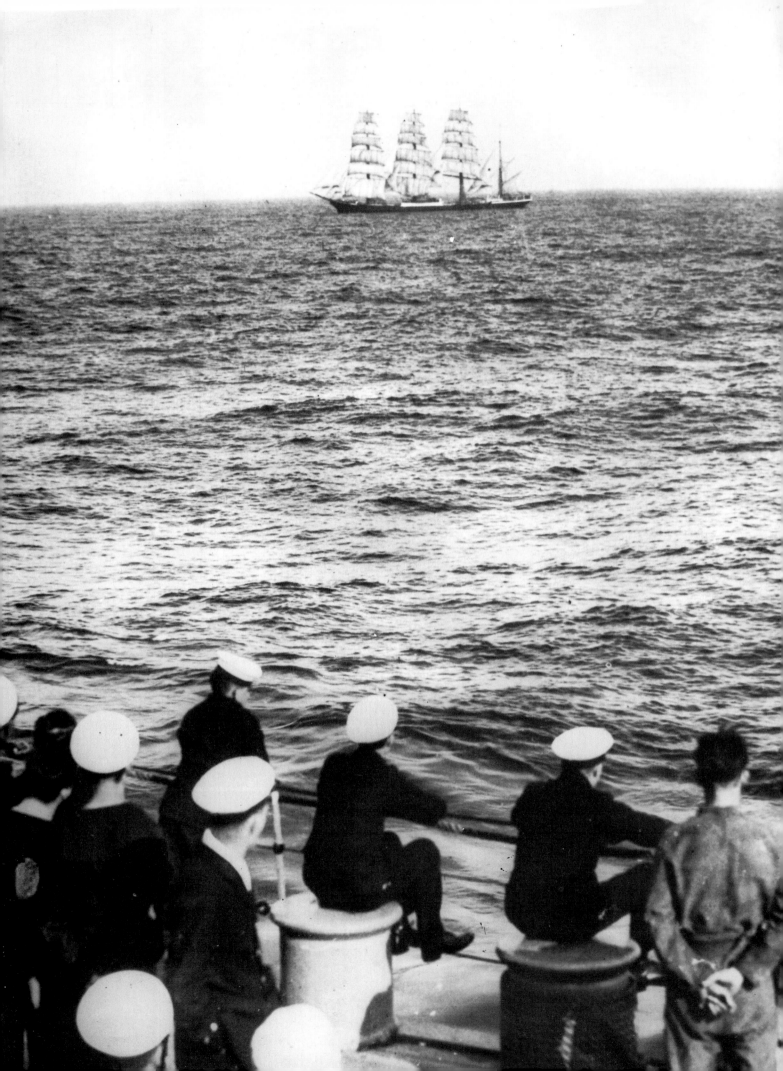

La mort des voiliers

En 1926, G. de Raulin, spécialiste de la voile à la revue « Le Yacht »,
explique pourquoi les grands voiliers
disparaissent.

Au cours de leur villégiature estivale, des baigneurs ont été intrigués de voir passer de grands voiliers, remorqués, qui s'en allaient, par bandes, dans la direction du Nord. S'étant renseignés, ils ont appris que cette flotte, remisée depuis la guerre dans le canal de la Martinière, - qui longe la Loire entre Paimbœuf et Indret, - se rendait à Lorient pour y être démolie.

Ils se sont émus de ce fait et les journaux de la région ont reflété cette émotion. Aujourd'hui encore, je reçois des lettres où l'on me demande comment il se fait que ces beaux voiliers, d'un port de 3.000 tonnes et d'une surface de toile d'environ 3.000 mètres, soient voués à la vieille ferraille, comment, aussi, cela se concilie-t-il avec la campagne menée en faveur le l'augmentation de notre marine marchande?

L'explication en est bien simple.

Ces trois-mâts transportaient, jadis, des blés d'Australie, des minerais de Nouvelle-Calédonie, des nitrates de soude du Chili ou de la houille.

La paix revenue, on put croire qu'une nouvelle période de prospérité s'annonçait, pour les voiliers, grâce à la pénurie de charbon due à la destruction sauvage de nos houillère du Nord et du Pas-de-Calais.

En faisant ce pronostic, on avait compté sans les politiciens démagogues.

Dès qu'ils eurent inventé de faire, à notre marine marchande, la stricte application de la loi de huit heures, la cause fut jugée, et la mort de nos beaux voiliers décidée du fait même. Cette loi, que seule au monde la marine française subit, lui impose une surcharge annuelle d'environ 20 millions!

Voici comment les charges se traduisent pour les voiliers, bien plus lourdement que les vapeurs, étant donné que, à bord de ces derniers, la machine jouissait déjà du service par trois équipes :

1° Introduction d'une troisième bordée, soit 48 hommes à loger, à nourrir, et à payer, là où 32 avaient toujours suffi;

2° Dépenses de transformations pour assurer le logement de ces 16 hommes;

3° Diminution, par suite, de la capacité de chargement du navire.

A cette cause primordiale sont venues s'ajouter les cascades du change. La valeur de la marchandise subissant, en cours de voyage, des variations constantes, on a intérêt à abréger la durée de celui-ci, donc à remplacer les voiliers par des vapeurs.

La décadence de la marine à voiles n'est pas, cependant, un accident qui nous soit propre. C'est la rançon du progrès étendue à toutes les nations. Certes, il arrive encore que, pour des raisons spéciales,

Deux époques se rencontrent : au premier plan, les marins du croiseur Rodney, dernier né de la flotte de guerre britannique en 1934.

135

Le quatre-mâts Viking,
*qui vient d'accomplir
en 136 jours la traversée
de Port Victoria (Australie)
à l'Angleterre. Le navire
entre dans le port
de Falmouth.*

on construise quelques voiliers. Mais prenons l'exemple de l'Angleterre, nation maritime par excellence.

D'après le *Lloyd's Register of Shipping*, de juillet 1925 à juillet 1926, 223 voiliers, jaugeant brut 19.188 tonnes, ont cessé de figurer sur les registres. Sur ce nombre, 74 unités, jaugeant 6.677 tonnes, ont été démolies.

En France, 10 navires à démolir, représentent 30.000 tonnes. Ils sont donc d'une classe supérieure à celle de leurs confrères anglais. Saluons-les au passage, quand nous en rencontrons, car ils représentent un long passé de traditions, et nous ne les reverrons plus.

Adieu les fins gabiers, adieu les vieux «mangeurs d'écoutes» ! Les mécaniciens, chauffeurs et soutiers les remplacent, qui sont animés d'un autre esprit. Car la marine, ainsi comprise, cesse d'être un métier spécial.

Le clipper norvégien Regina Maria, *toutes voiles dehors (elles augmentent la voilure au vent arrière par beau temps)*.

G. DE RAULIN
Le Yacht
2 novembre 1926.

Il n'y a plus d'officiers

L'année dernière, ici-même, après avoir donné les raisons de l'irrémédiable décadence de la marine à voiles, j'écrivais, à ce propos, « adieu les fins gabiers, adieu les vieux mangeurs d'écoute! » Depuis lors, la décadence n'a fait que s'accentuer. Les statistiques en font foi.

Aujourd'hui, le canal de la Martinière n'abrite plus qu'un seul des grands quatre-mâts en fer, dernier spécimen du genre. Ses trois autres compagnons d'infortune sont partis pour la Hollande, où les attend le pic du démolisseur, si fatal à leurs prédécesseurs.

Lors de l'inauguration du port de pêche de Lorient, les visiteurs ont pu en contempler une bonne douzaine, à divers états de désagrégation. A Dunkerque, s'achevait le dépeçage de trois autres, dans le port

même où, naguère, ils entraient fièrement, avec de pleins chargements de nitrate.

Cependant, l'hiver dernier, un homme audacieux s'était rencontré, qui avait entrepris d'armer dix de ces voiliers en Bretagne. Il avait déjà trouvé du fret. Il avait découvert, en ne regardant pas trop l'âge, des gabiers en nombre suffisant. Il s'était assuré le concours de capitaines d'expérience.

Tout cela promettait. Quand il fut, soudain, obligé de renoncer à son projet. Pourquoi? Tout simplement faute de pouvoir recruter de jeunes officiers capables de manœuvrer un voilier en sous-ordre.

Voilà qui en dit long sur la situation! Cela prouve que, chez nous du moins, la navigation à la voile n'a plus aucun avenir.

C'est encore un peu de poésie et beaucoup de rêverie qui s'en vont. Mais, dans la période trépidante que nous traversons, avec le besoin de vitesse auquel l'automobile et l'avion nous accoutument, qui s'en étonnerait?

Il en est de même à l'étranger, où le nombre des voiliers ne cesse de décroître, du moins généralement, devant les progrès du moteur mécanique.

Et voici que, du Danemark, nous parvient une étonnante nouvelle.

Le gouvernement vient de constituer une caisse de Crédit Maritime, dans le but de consentir des avances de fonds aux armateurs désireux de faire construire de nombreux voiliers battant pavillon danois.

Sans doute cela répond-il à un besoin déterminé! Le cabotage dans la Baltique s'y prête peut-être mieux qu'ailleurs? Tout au moins cette décision paraît surprenante, à qui n'en connaît pas les motifs déterminants, surtout avec l'aide du Crédit Maritime.

Quoi qu'il en soit, on peut affirmer que c'en est fait de la voile dans la navigation au long cours.

G. DE RAULIN
Le Yacht
15 octobre 1927.

LA GRAND VOILE

Ci-dessous :
3 novembre 1927. Le quatre-mâts Ville de Mulhouse
attend sa destruction dans le canal de la Martinière,
à Nantes, cimetière des grands voiliers.

Page de droite :
En 1929, le vénérable Discovery, *qui emmena*
le capitaine Scott sur les glaces du pôle en 1901,
reprend du service pour une nouvelle expédition polaire.
Cette fois, il a une radio et emporte
un petit avion d'observation.
Noter les garcettes de ris sur la grand voile.

Le vent
sans les voiles

*Dans les années vingt, l'ingénieur allemand Flettner met au point
un système de propulsion à rotors
qui semble très prometteur.*

Sous le nom de *Baden-Baden*, l'ex-*Buckau*, qui est le premier navire muni de rotors Flettner, et dont le voyage d'essai fit douter de l'utilisation pratique de ce nouveau procédé de propulsion, a accompli dernièrement une performance qui mérite d'être signalée.

Il s'est rendu de Hambourg à New-York, ayant parcouru 6 000 milles, la plupart du temps mû par ses deux rotors, à la vitesse moyenne de 8 nœuds et demi.

Avec un équipage de 15 hommes y compris le capitaine Peter Callsen, qui, durant sa carrière passée sur les longs-courriers à voile, a franchi quatorze fois le Cap Horn; et le second Rœselnig, - qui commanda plusieurs yachts de l'empereur - le *Baden-Baden* a quitté l'embouchure de l'Elbe le 2 avril, pour gagner la mer du Nord où régnait un calme exceptionnel. Il fit route d'abord au moteur et aux rotors, au milieu d'une brume intense qui cachait les côtes allemandes et hollandaises.

Dans la soirée du jour suivant, il entrait en Manche et ce fut le dernier jour de ce calme insolite. Le lendemain, dimanche de Pâques, au large d'Eddystone, il rencontra une tempête de N.O. Il mit le cap vers Plymouth, prenant la lame à 4 quarts par bâbord. Les rotors furent mis en marche à la vitesse de 100 tours par minute. Aussitôt, le roulis du navire s'atténua, mais il n'était

pas comparable à celui d'un voilier dont les voiles, au moment du rappel au vent, opposent un freinage. En réalité, la stabilité due aux rotors est plutôt le résultat d'un effet gyroscopique. En outre, malgré la hauteur des rotors, le navire ne semble nullement avoir un équilibre amoindri. Enfin, l'ensemble des rotors équivaut au cinquième du poids de son ancien gréement de schooner. Dans la matinée du lundi suivant, vers huit heures, la pointe de Lizard avec ses récifs et ses brisants s'estompa sous un ciel gris et brumeux. La longue houle traversa cette zone, le navire laissant derrière lui un mince sillage, vite effacé. Ce n'était là qu'un intermède. A la hauteur de Gibraltar, il subit dès l'aurore un coup de vent venant de N.W., accompagné de grains de pluie et de grêle d'une violence inouïe. Le crépitement de la grêle sur les cylindres était encore accru. A huit heures, un bruit soudain vers l'avant fit craindre que la base du premier rotor fut endommagée. Vérification faite, on constata qu'une barre de fer était tombée sur cette base sans lui causer la moindre avarie. Par suite de cette tempête, le navire s'était écarté de sa route de 300 milles environ. Callsen remit le cap vers les Canaries, où il se proposait de faire escale et se réapprovisionner. Les deux cylindres tour-

*Première version
d'un yacht à un rotor,
de l'ingénieur allemand
Flettner.*

143

LA GRAND VOILE

*En 1925, l'ingénieur Flettner équipe une goélette
de deux rotors. Sa turbovoile fonctionne sur le principe
de l'effet Magnus : un cylindre en rotation placé dans
un courant d'air subit une poussée perpendiculaire au vent.
Ce mode de propulsion tombera vite dans l'oubli
à cause du faible coût du charbon. Il faudra attendre
le commandant Cousteau et sa Calypso II
pour que le principe renaisse,
sous une forme plus moderne.*

naient à toute vitesse, avec un ronronne-
ment de toupie et les grains succédaient
aux grains. Les lames s'élevaient furieuses,
comme si elles voulaient tout balayer. Sur
la passerelle, Callsen veillait constamment
et ne la quittait que pour des repas hâtifs.
Le vent mollit enfin et le reste du voyage se
poursuivit normalement.

La tenue du *Baden-Baden* s'est en
somme révélée excellente. Par mer debout,
son tangage est très doux. Au sommet de
lame, il marque comme un temps d'hési-
tation, et s'infléchit ainsi qu'un voilier.

Cette performance a donné la juste
mesure de l'intérêt que présente au point
de vue pratique le procédé de l'ingénieur
Flettner. Dans l'esprit même de l'inventeur,
le rotor ne doit constituer qu'un moyen
auxiliaire de propulsion. Il pourra être utilisé avec profit par les navires qui effec-
tuent des traversées dans des régions à
vents réguliers, alizés et moussons. Son
emploi n'entraîne aucun accroissement du
nombre de l'équipage et son fonctionnement ne nécessite qu'une force relative-
ment réduite, en l'espèce 45 CV.

Comme nous l'avons annoncé, la
Cie Stolmann Junior a fait construire un
cargo à triple rotors, le *Barbara*, qui est
actuellement en achèvement à flot. L'expérience qu'elle va tenter est donc moins
hasardeuse qu'on aurait pu le croire tout
d'abord.

E. Lejeune
Le Yacht
10 juillet 1926.

Gravure anglaise de 1881 représentant l'équipage d'un bateau de sauvetage prêt à l'action.

SAUVETEURS

F. Dadd

Les héros de la Société centrale de Sauvetage

*Leur bateau de sauvetage est considéré comme une personne,
on l'appelle « le bateau de vie ». Il a sa « maison-abri »,
un parrain, une marraine. Il a été béni
par un prêtre au cours
d'une grande
cérémonie.*

Il y a quelque trente-cinq ans, de grands philanthropes eurent la généreuse pensée de créer enfin une armée du sauvetage ayant son état-major et ses cadres, ayant surtout son budget, son équipement, ses engins, bref tout son matériel de guerre. Une société se fonda dans ce but. On la connaît; il n'est pas d'institution privée qui honore davantage notre France : elle a nom la *Société centrale de sauvetage des naufragés*.

J'ai parlé de matériel de guerre. Voyez, en effet, ce canon sur son affût ou ce fusil accroché dans ce corps-de-garde de douanes. Ne dirait-on pas de véritables bouches à feu? C'en sont, ne vous déplaise. Cela se charge et cela se tire. Seulement, au lieu de cracher la mort, cela porte au loin le soulagement, le réconfort, la vie.

Au projectile que la poudre en fait jaillir est fixée une ligne, parfois de plus de 300 mètres, qui, passant par-dessus le navire en détresse, s'enchevêtre dans sa mâture ou dans ses cordages et met les naufragés en communication avec la terre. On peut dès lors, à l'aide de cette ligne, leur faire parvenir des câbles plus résistants; un système de va-et-vient est établi, et la mer assiste, impuissante, au débarquement de ses victimes qui n'ont plus qu'à tomber entre les bras de leurs sauveteurs.

Que de victoires gagnées sur les eaux en courroux par le fusil et par le canon *porte-amarres*! Mais le triomphant par excellence, vrai paladin de la tempête, c'est le «bateau de sauvetage» ou, comme l'appellent les Anglais d'un mot si énergique et si juste : le *life-boat*, le bateau de vie!

(...) Au pied de la petit bourgade marine, à même la plage, s'élève une construction assez mystérieuse qu'à son air inhabité, aux vastes proportions de son porche, et n'était l'absence de clocher, l'on serait tenté de prendre pour un de ces sanctuaires si fréquents le long des côtes, surtout en Bretagne, où ils sont connus sous le nom de « chapelles de la mer ».

Eh! N'en est-elle pas un, après tout, par l'espèce de dévotion qu'elle inspire? Dans les jours, dans les nuits de détresse et d'angoisse, alors que le ciel tonne, que le vent siffle et que l'Océan mugit, n'est-ce pas là, n'est-ce pas à cette « maison-abri » que l'on accourt?

Poussons les vantaux du portail. Sur un chariot plat occupant presque toute la longueur de l'édifice repose le bateau sacré. Lorsque, au sortir du chantier, il a été intronisé dans son temple, le clergé de l'église voisine est venu, en ses plus riches ornements sacerdotaux, procéder à sa bénédiction. Des cierges ont été allumés

Le patron des canots de Calais, Jean-Adolphe Delannoy. Fils de pilote, il a pris la mer à l'âge de dix ans. Malgré ses soixante-quatre ans, il ne laisse à personne l'honneur de tenir la barre du canot de sauvetage. Au cours de 38 sorties, il a sauvé 229 personnes.

Page de gauche :
Juillet 1905. La Société
centrale de sauvetage
vient d'inaugurer une
nouvelle station à l'île de
Sein. Son canot de sau-
vetage, L'Amiral Barrera
peut être lancé en deux
minutes, même aux plus
basses mers, grâce à
une voie sur rails et
à un chariot spécial.

Ci-contre :
10 juillet 1911.
Démonstration sur la Seine,
à Boulogne Billancourt,
de canots de sauvetage
de la Société centrale
de sauvetage de Rouen.

Ci-dessous : 1938.
Sauvetage du voilier
anglais Lucky, *qui coule*
dans le port de Dowestof
par suite d'infiltrations
d'eau. L'équipage s'est
réfugié dans la mâture.

en son honneur; on a chanté sur lui le *Veni Creator* et le *Te Deum*; un parrain, une marraine l'assistaient; il a reçu, comme un chrétien, le baptême de l'eau lustrale avant de recevoir le dur baptême atlantique, le baptême de la rafale en démence et de la mer en fureur.

C'est un être, c'est une personne, et qui a des vertus étranges, presque surnaturelles.

« Pensez donc! ai-je ouï dire à une Bretonne, un bateau qui se relève, s'il chavire!... Un bateau sorcier! »

Le canot de sauvetage est, en effet, insubmersible. S'il vient à s'emplir d'eau, cette eau s'évacue d'elle-même au moyen de six larges tubes en cuivre qui ont leur orifice supérieur au ras du pont, et leur orifice inférieur au fond du canot. De plus, comme la quille est en fer et que des caisses à air sont adaptées aux deux extrémités de l'embarcation, celle-ci, même renversée, demeure en équilibre instable, et le moindre mouvement que lui imprime la vague la redresse. Les pertes d'hommes deviennent de la sorte extrêmement rares. Sur un total de 400 marins montant 25 canots de sauvetage, on n'a eu à déplorer, jusqu'à présent, que la disparition de 25 sauveteurs. Avec les canots ordinaires, il s'en noyait 87 sur 120.

Revenons à la maison-abri. Le bateau semble dormir, couché immobile parmi ses bouées, ses cordages, ses avirons, ses agrès. Mais qu'un mousse passe, agitant une clochette ou soufflant dans la corne d'appel, brusquement une rumeur grandit qui le réveille. La porte s'ouvre toute large. Des hommes, des femmes, des enfants s'attellent au chariot, la lourde masse s'ébranle, dévale, entre en bondissant au cœur de la vague qui l'insulte et qui l'éclabousse de son écume, mais qu'elle domptera. Spectacle inoubliable pour qui l'a contemplé! Les servants du canot rédempteur sont à leurs rames : ils sont douze - comme les Apôtres. Une cuirasse de liège est toute leur armure : joignez-y leur vaillance, et ce tranquille mépris de la mort qui est plus fort que la mort même. Le patron est à la barre. C'est Auffret, de Penmarch, ou Carcabueno, de Biarritz, ce sont cinquante autres qui mériteraient d'être nommés au même titre. Il tient le gouvernail d'une main, son porte-voix de l'autre; il crie au navire en perdition :

« Courage!... Ne désespérez point!... C'est nous! »

Ah! les braves gens! Et si simplement, si naïvement braves!

La *Société centrale de sauvetage* compte ainsi plus de 500 postes de secours, répartis sur tout le littoral, et 99 stations de canots en plein fonctionnement. Aux patrons et sous-patrons, elle alloue une rétribution annuelle de 200 francs, aux équipages une indemnité de 15 francs par sortie et par tête. Tous les ans, elle décerne, en outre, aux plus méritants des récompenses proportionnées à ses ressources; récompenses auxquelles l'Académie française ne laisse pas de joindre de temps à autre un prix Monthyon. Je ne sais rien de plus beau ni qui donne de l'humanité une idée plus consolante que la lecture de ces palmarès du sauvetage. Les « plusieurs fois nommés » y sont légion. Mentionnons quelques exemples :

A tout seigneur tout honneur. Voici d'abord le vieux pilote-major Delannoy, de Calais. Son premier exploit important remonte à l'année 1867; un vaisseau qui allait de Saint-Nazaire à Anvers, fut jeté à la côte et presque submergé. L'équipage eut à peine le temps de s'accrocher aux mâts. Toutes les chances sont défavorables. Le canot de sauvetage est hors de service. Il faut se contenter du canot ordinaire. Delannoy y monte avec six de ses camarades. Au moment où il arrive près du navire naufragé, une vague plus terrible que les autres emporte le mât de misaine avec la grappe humaine qui s'y tenait accrochée. Il ne reste plus que deux hommes agrippés au grand mât. Delannoy les ramè-

ne après avoir risqué vingt fois sa vie. Depuis lors, il a sauvé 201 personnes; vous entendez : deux cent une vies humaines arrachées à la mer! Et là-dedans, il y a de tout, des Français, des Anglais, des Nor-végiens, des Danois, des Allemands. Peu d'hommes ont reçu plus d'actions de grâces dans plus de langues. Celui-ci, un pilote encore, c'est Gossin, de Dunkerque. Il compte ses années par des exploits : en 1874, il sauve les équipages de la *Norma* et de l'*Isabelle*; en 1878, celui du *Képler*; en 1879 ceux de la *Viola*, de l'*Adriatique*, de la *Victorine*; en 1881 ceux de plusieurs chaloupes de pêche, en 1882 ceux du *Stabat Mater* et du *Phénix*, etc. Passons à un troisième, un Breton, pour finir, le

patron Le Mat, de Roscoff. Un vrai nom de sauveteur, *mat* en celtique signifiant *bon*. Il n'a que 75 sauvetages à son actif, mais la liste n'en est pas close. Une nuit, il sauve le matelot Kerné, de la *Florence* : quinze jours plus tard, comme il longeait le quai de Roscoff, il entend crier au secours. Il se jette à l'eau tout habillé et ramène qui?... La petite fille de ce même Kerné, l'enfant après le père!...

Le mousse Morvan Rivoal décoré, à côté de son patron.

Pages suivantes : L'équipage du bateau de sauvetage d'Audierne en pleine action. Ils n'hésitaient pas à affronter les mers les plus démontées.

ANATOLE LE BRAZ
*Lecture pour tous
Août 1899.*

155

L'équipage du bateau de sauvetage d'Audierne en pleine action. Ils n'hésitaient pas à affronter les mers les plus démontées.

Un homme à la mer!... Que faire?

*Texte extrait d'un recueil de conseils pratiques,
à l'usage des capitaines et des seconds,
écrit par le capitaine
au long-cours
A. Lucas.*

Question : Un homme tombe à la mer en virant de bord au moment où l'on va changer derrière, que fait-on?

Réponse : On change derrière, mais on tient bon la manœuvre, c'est-à-dire qu'on ne change pas devant; on amène une embarcation, mais la première chose à faire est de lui jeter une bouée ou un corps flottant sur lequel l'homme puisse se tenir.

Question : Faisant route d'une faible brise au plus près?

Réponse : On coupe une des bouées, on met en panne et une embarcation à la mer pour sauver l'homme.

Question : D'une forte brise au plus près?

Réponse : On pourrait mettre en panne et amener une embarcation. Il faut avoir soin de placer quelqu'un au haut des mâts pour diriger l'embarcation vers l'homme. Mais nous pensons que, dans tous les cas et sous toutes les allures, il est préférable de prendre le plus près si l'on n'y était pas, et de faire un bord sur l'homme; car, en mettant en panne, le navire dérive beaucoup, l'embarcation, qui presque toujours perd l'homme de vue, nage dans de fausses directions, elle n'entend ni ne comprend la voix ni les signes de l'homme en vigie, et elle s'en retourne souvent sans même avoir aperçu les bouées. Toutes les fois au contraire que le navire fera un bord, il

viendra très-certainement passer aux environs de l'homme, car il croise sa première route en un point. S'il est vent arrière, ou largue, et ce point de rencontre ne doit pas être loin des objets jetés ou tombés à la mer. Si le navire courait au plus près sur l'autre bord, il décrit presque une parallèle à la route qu'il tenait, il doit donc encore passer près de l'homme, il doit même en passer au vent. On pourrait, si l'on voulait, mettre une embarcation à la mer le plus promptement possible, mais ceci ne doit pas empêcher de virer de bord.

Nous avons vu cette manœuvre complètement réussir d'une belle brise, à bord d'un navire de commerce, qui ne mit aucune embarcation à la mer et fut se mettre en panne à côté de l'homme que l'on sauva à la main vers les chaînes de haubans de misaine. Il ne passa que douze minutes dans l'eau; à la vérité, le navire était au plus près, et c'est l'allure la plus favorable pour cette opération.

Le capitaine, au lieu de faire mettre la barre dessous immédiatement, laissa courir environ trois encâblures, afin de s'assurer de passer au vent de l'homme sur l'autre bord, et c'est ce qui arriva, il laissa même un peu arriver pour venir se placer en panne au vent et très-près. Il avait fait préparer une embarcation pour le cas où,

Les vagues balaient le pont. A tout instant, un homme peut être emporté...

manquant sa manœuvre, il en passerait trop loin.

Il faut du sang-froid et une grande présence d'esprit dans ces circonstances, car il ne faut pas perdre un seul homme de l'équipage de vue; on est forcé de les distribuer à la manœuvre par leur nom, de bien expliquer ce que chacun a à faire, car ils perdent la tête; au lieu d'embarquer ils larguent, au lieu de mettre la barre à tribord ils la mettent à babord. Si on les laissait faire, ils courraient tous les uns après les autres comme des moutons.

Les navires qui ont de forts équipages, ne devraient jamais négliger de louvoyer pour sauver les hommes qui tombent à la mer; ils peuvent amener une embarcation de suite, orienter et virer de bord. Il n'y a que d'une très-faible brise que l'on peut se contenter de mettre en panne; le navire dérive peu, la mer est plane et la voix porte loin.

Nous avons vu, sous le cap Saint-Vincent, deux hommes tomber à la mer de la frégate *l'Amphitrite*; elle en fit le signal, mit en panne et mit ses embarcations à la mer. La division courait vent arrière, la brise était forte, la mer assez belle. La frégate la *Vestale*, sur laquelle nous nous trouvions, gouvernait dans les eaux de *l'Amphitrite*. On aperçut de fort loin les deux hommes, ils nageaient parfaitement; mais la *Vestale* se contenta de carguer toutes ses voiles sans changer de route, et, conservant le vent arrière, elle ne filait pas un nœud de moins qu'avec toutes ses voiles établies; elle passa à côté de ces malheureux en filant encore plus de sept nœuds; elle coupa ses bouées, et enfin plus tard elle prit la panne et mit ses embarcations à la mer qui revinrent à bord quelques heures après sans même avoir aperçu une seule bouée.

Si l'on en croit cette gravure de 1872, les chances de survie d'un homme à la mer sont très minces...

A. Lucas
Le candidat
Vannes, 1850.

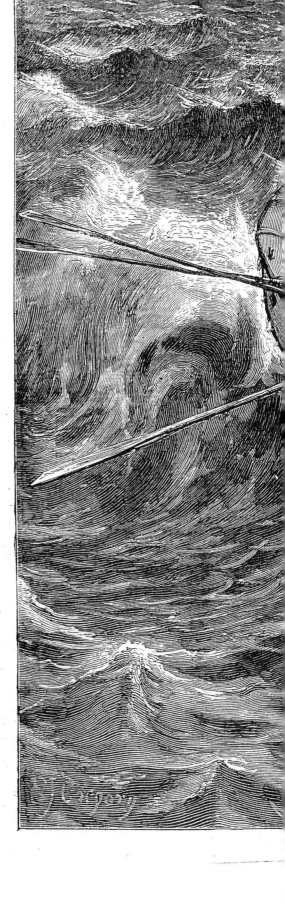

MAN OVERBOARD—LOWERING THE SHIP'S LIFEBOAT

DES DÉFIS

Course des 40 milles, organisée
par le Royal Southampton Yacht Club.
Sur son cotre Britannia, *le roi d'Angleterre*
(les mains derrière le dos)
surveille la manœuvre.

Yachting royal

*Un faste impensable - l'argent ne compte pas - un public
de têtes couronnées d'une élégance raffinée...
Des voiliers à la décoration intérieure inouïe...
cinquante hommes d'équipage
triés sur le volet commandés
par des officiers payés
à prix d'or.*

Malgré le rapide succès des régates de Kiel, Cowes demeure, pour tous les enthousiastes de la voile, la « Mecque du yachting » où se disputent les victoires définitives, où les *skippers* (propriétaires), amateurs ou professionnels, trouvent tôt ou tard leur Austerlitz ou leur Waterloo.

Des causes multiples ont assis la vogue de cette « semaine », fameuse entre toutes, sur des bases solides. C'est d'abord le cadre glorieux où elle se déroule : ce magnifique détroit du Solent, bordé de prairies verdoyantes où sont parsemées de somptueuses villas, et dont le voisinage de Southampton et de Portsmouth a fait la route maritime la plus fréquentée du monde. Puis, c'est la situation géographique : Cowes est à deux heures de Londres par voie ferrée, à quelques lieues d'Osborne, la résidence d'été de la famille royale, double raison pour qu'il soit devenu aussi bien un lieu de rendez-vous pour l'aristocratie anglaise et un but de promenade pour la bourgeoisie londonienne.

Sa vogue, qui date du temps de la reine Elisabeth, c'est-à-dire de plus de trois siècles, l'autorise à traiter Kiel de parvenu.

Quant au club, le Royal Yacht Squadron, auquel appartient le droit exclusif de réglementer les régates, il n'existe pas au monde de club qui compte parmi ses membres autant de têtes couronnées. Edouard VII venait souvent inviter à dîner ses « camarades », au cours des régates. En font partie également les empereurs de Russie et d'Allemagne, les rois de Belgique, de Norvège, de Danemark, d'Espagne, le prince-consort des Pays-Bas, le prince Henri de Prusse, le duc des Abruzzes.

Son président, qui porte le titre de *commodore* (le titulaire actuel est le marquis d'Ormonde), est désigné familièrement sous le nom de « roi de Cowes ».

C'est à lui qu'il appartient d'inviter les profanes aux dîners, réceptions et autres *entertainments* donnés par le Squadron Club. Ces invitations sont avidement recherchées par les Anglais, comme aussi par la société cosmopolite qui fréquente le Solent des derniers jours de juillet à la fin d'août. Et la suprême ambition des millionnaires américains des deux sexes est d'être présentés au *commodore,* de parapher leur signature sur un feuillet du *Visiting Book* (livre d'or), et d'acquérir ainsi le droit de pénétrer à toute heure dans l'enceinte du château, de se montrer sur la fameuse *Platform*, galerie vitrée qui s'allonge sur trois des façades de l'antique édifice et où l'on peut coudoyer, à l'heure du *five o'clock tea,* toutes les célébrités recrutées dans le royaume parmi les privilégiés de la

Le cotre Britannia, *construit en 1893, navigue ici sous son grément de 1935. le mât fait 52 mètres de haut et la bôme (blanche) a été surnommée « Park Avenue Bôme », à cause de sa largeur.*

165

naissance et du talent. A Cowes, il n'y a ni casino ni théâtre; la plage est insignifiante. Cette petite ville, qui ne possède guère qu'une seule rue présentable (High Street), n'a d'autre raison d'être que ses régates. Dès l'approche de la grande semaine, le Solent se peuple d'innombrables yachts. Tout ce qu'il y a de yachts disponibles dans les ports anglais, yachts privés ou de location, s'en vient encombrer littéralement le bras de mer qui sépare l'île de Wight de la côte ferme. On couche, on mange, on vit à bord. Et, de bon matin, la High Street présente un spectacle unique, avec les centaines de *stewards* (maîtres d'hôtel), qui, descendus de leurs yachts avec un matelot chargé d'un vaste panier, font l'assaut des boucheries et autres boutiques de mangeailles.

Il est de tradition que les propriétaires de grands yachts tiennent table ouverte pendant toute la durée de la « semaine ».

Edouard VII et la reine Alexandra ne manquèrent jamais à cette coutume. L'an dernier encore ils donnèrent à leur bord six dîners de gala, dont l'un réunit à la royale table du *Victoria and Albert* l'empereur de Russie et la tsarine, ainsi que les membres du Squadron Club. La saison fut d'un faste inouï, grâce à la présence des souverains russes, de l'empereur d'Allemagne et d'autres monarques, à laquelle il faut ajouter celle de plusieurs multi-millionnaires américains, qui avaient formé le futile projet de montrer au vieux monde comment un nabab d'outre-Atlantique sait dépenser ses dollars.

Il est de notoriété publique en Angleterre qu'il est « plus facile à un homme riche de passer par le trou d'une aiguille que de franchir la porte du R.Y.S. ». C'est un club très fermé, que ne réussissent pas toujours à ouvrir les patronages les plus puissants.

Les grands jours de l'élégance.

On a souvent écrit de Cowes que c'est un centre d'élégances, et l'expression est juste; mais ne croyez pas qu'on y puisse faire assaut de toilette. L'étiquette exige, au contraire, que les deux sexes ne se montrent qu'en costumes de mer, dont il est difficile de varier la simplicité conventionnelle. Les gentlemen, qu'ils soient de sang royal ou plébéien, portent uniformément la casquette à coiffe blanche rigide, le complet-veston de drap bleu, avec chaussures noires ou blanches, mais sans gants. La canne n'est admise qu'à terre; sur le pont du yacht, elle prendrait cette peu flatteuse signification que son porteur n'a pas le pied marin.

Soumises à la même étiquette, les dames ne peuvent se permettre que le *yachting costume*, jupe blanche sans plis ni volants, et veston blanc à larges revers, ombrelle de même couleur, et chapeau canotier enrubanné sobrement. Ni voilette, ni gants, et peu de bagues. La simplicité poussée jusqu'à ses extrêmes limites féminines!

Quand le signal est donné.

Mais le yachting n'est pas seulement une distraction, il constitue un sport, dont il est intéressant de connaître la technique.

Pour les rares lecteurs qui n'auraient pas assisté à une de ces grandes épreuves nautiques, indiquons sommairement comment elles se déroulent.

Les concurrents partent au coup de canon. Il leur faut gagner une bouée, qui marque la limite du trajet, et la doubler, pour revenir à leur point de départ où les juges, postés derrière une sorte de viseur, guettent avec des longues-vues le premier yacht qui entre dans le champ visuel. Pour les yachts de moyen tonnage, ce trajet varie entre 25 et 40 milles aller et retour. Quant aux yachts de fort tonnage qui participent aux grandes épreuves : coupe du roi, coupe de Cowes, coupe de l'Empereur (offerte par Guillaume II), il s'agit pour eux d'effectuer le tour de l'île de Wight, ce qui représente 65 milles.

A Cowes, comme à Kiel, les yachts étrangers viennent se mesurer avec les concurrents britanniques et souvent avec grand succès. M. Krupp von Bohlen, le yachtman allemand et son bâtiment le *Germania* sont ainsi de fidèles habitués des régates de Cowes, et, en 1908, le *Germania* fut assez heureux pour battre *Corisande*, le yacht du prince de Galles,

actuellement George V, et enlever la coupe de l'Empereur instituée par Guillaume II qui s'intéresse au yachting aussi bien dans son propre empire que chez ses rivaux.

Naturellement, quand un étranger remporte pareil triomphe, les Anglais sont furieux. Faut-il rappeler quelle fut la consternation et le désespoir de la Grande Bretagne tout entière quand, en 1896, un concurrent yankee, l'*America*, emporta de haute lutte la coupe de 500 guinées créée en 1851 par le grand club nautique, le *Royal Yacht Squadron*. A la Chambre des Communes, un député, le colonel Peal, interpella le ministère et, violemment ému, s'écria : « La victoire de l'*America* est une véritable humiliation nationale ». Depuis, les Anglais firent efforts sur efforts pour regagner la coupe. Sir Thomas Lipton surtout, un yachtman célèbre dont le fameux *Shamrock* a remporté dans sa carrière plus de 40 grands prix et qui, en 1908, enlevait encore avec le *New Shamrock* la coupe enviée du Royal Yacht Club, se lança avec une superbe ardeur dans la lutte. Il avait fait de la question une sorte d'affaire personnelle. Il ne ménagea rien, ni la peine, ni

l'argent, et, pour les régates de 1901, fit construire un yacht si chargé de toiles que celles-ci couvraient une surface de plus de 3000 mètres carrés. Le bâtiment lui revint à 2 500 000 francs, mais il en attendait des prodiges de vitesse. Vains espoirs! En dépit d'aussi courageuses tentatives, la glorieuse coupe n'a pu être reprise aux Américains.

Il est peu d'années où l'émulation des concurrents ait été aussi surexcitée qu'en 1909. Les régates de cette année-là feront époque dans les annales de Cowes.

Jamais on n'avait vu réunis autant d'illustres concurrents : à côté du *Britannia*, le yacht d'Edouard VII, et du *Corisande*, au prince de Galles, figuraient le *Meteor* avec Guillaume II et le *Giralda* monté par Alphonse XIII. Enfin le tsar, en visite auprès des souverains anglais, assistait aux épreuves, sur son yacht le *Standard*, en qualité de spectateur. Les yachts impériaux et royaux firent bonne contenance dans les épreuves de second ordre qui permirent au *Meteor* et au *Giralda* de remporter chacun un prix; mais ils se laissèrent battre dans la lutte pour les grandes coupes. Dans l'épreuve de la coupe du Royal London

Le roi, à droite, près de l'échelle; la reine, en blanc, à gauche, et la duchesse d'York, avant une course à Cowes.

167

Yacht, Guillaume II se laissa devancer de 4 minutes par M. Krupp von Bohlen, qui fut vainqueur avec le *Germania*, et dans celle de la coupe du Roi il ne put se placer que second; ce fut *White-heather*, le *cutter* (cotre) de M. Ingles Kenedy, qui enleva le prix avec une avance de 3 minutes et 46 secondes.

Mais, lorsque les concurrents offrent de notables différences de tonnage ou d'âge, les arbitres doivent les handicaper, besogne des plus délicates, car il est très difficile d'assigner à certains yachts le rang qui leur revient dans l'échelle des allégeances. Nous citerons le cas du *Bloodhound*, au marquis d'Ailsa, qui fait le désespoir des handicapeurs, car il est vieux de 36 ans et en est à son 155e prix ! Son âge lui vaut des égards - dont il profite pour ajouter chaque année à ses lauriers.

Notons que les accidents sont rares. Les milliers de spectateurs massés sur les rives du Solent ou de la baie de Kiel assistent rarement à des tragédies. Cependant, en 1908, le cutter *Bloodhound*, au marquis

La goélette Meteor *du Kaiser, au plus près dans la Solent.*

d'Ailsa, entra en collision avec le yawl l'*Espérance*, à M. E. W. Ingleby, et sombra. Cette année, le *Bryguhild*, un des plus fameux *racers* de 23 mètres de la flottille anglaise, a été victime d'un étrange accident, probablement unique dans les annales nautiques. Dans un coup de vent, le mât se cassa sous le pont; et la partie supérieure « ripa » avec une telle force qu'elle traversa la coque !

Le plus coûteux de tous les sports

L'heureuse entente qui règne entre les grands clubs d'Europe a permis d'échelonner les régates internationales pendant toute la durée de la belle saison, de sorte qu'un yacht peut recueillir successivement des lauriers à Kiel, au Havre, à Cowes, à Trouville. Si la moisson ne lui suffit pas, il peut se transporter ensuite en Méditerranée et participer aux régates de la Côte d'Azur et de Malte. Mais, en supposant qu'il soit partout vainqueur, ce n'est pas le

Pactole qu'il rapportera à son port d'attache!

De tous les sports, le yachting est le plus désintéressé.

D'après notre confrère parisien *Le Yacht*, les prix en argent les plus élevés que puisse ambitionner le vainqueur d'une grande régate internationale ne sont pas supérieurs à 2000 francs. Quand ils se doublent d'un objet d'art, ils peuvent former une valeur d'ensemble de 3000 à 3500 francs.

D'une façon générale, un Yachting-Club qui consacre 200 000 francs à la construction d'un *racer* en vue d'un challenge (défi) à disputer recevra pour toute récompense une coupe en vieil argent qui, certes, est un trophée enviable et glorieux, mais dont le Mont-de-Piété ne donnerait pas vingt-cinq louis! Rappelez-vous le cas de sir Thomas Lipton, qui, vaillamment, s'efforça plusieurs années de suite de reprendre au New York Yacht Club la fameuse coupe de l'*America*. Sa seule tentative de 1901 lui coûte plus de 2 millions de francs! Et les victoires consécutives des yachts américains *Columbia* et *Reliance*

sur ses trois *Shamrock* appauvrirent de près de six millions le richissime Irlandais, sans que, d'ailleurs, son somptueux train de vie s'en ressentit!

Entrons dans quelques détails. Construction, gréement et lancement du yacht représentent 7 à 800 000 francs, sans compter l'ameublement et la décoration, qu'on peut évaluer à une centaine de mille francs.

Pour l'équipage, il faut une cinquantaine d'hommes d'une expérience à toute épreuve. Si les simples matelots sont satisfaits de recevoir 150 francs par mois, la solde mensuelle du capitaine ne sera pas inférieure à 2 500 francs, et celle de ses deux lieutenants à 1 000 francs. Comme la durée des engagements sera d'au moins cinq mois, l'ensemble des salaires aboutira à un total de 60 000 francs. Sur la base de 3 fr.75 par bouche et par jour, et en tenant compte des salaires de deux cuisiniers et de deux aides, il en coûtera 37 500 francs pour nourrir l'équipage. Et, pour l'habiller, la dépense sera de 20 000 francs environ.

Voilà donc une somme de 120 000 francs à ajouter au prix du yacht, rien que

Sur son Meteor, *le Kaiser et ses officiers compensent les mouvements du roulis.*

pour la paie et l'entretien de l'équipage.

Et nous n'en avons pas fini! Il n'y a pas de place, dans un *racer*, pour le logement de l'équipage. Le yacht doit donc s'adjoindre un tender, vapeur de servitude qui le suit dans ses évolutions en transportant les provisions, les espars, les voiles de rechange, et en recueillant à son bord ceux des marins qui ne sont pas de service. Ce navire auxiliaire doit offrir des cabines au yachtman et à ses invités, une salle à manger et des salons pour ses réceptions, et des chambrées pour les hommes. Et l'affrètement d'un pareil vapeur ne coûte pas moins de 750 francs par jour, soit 112 500 francs pour les cinq mois de campagne.

Un second auxiliaire est indispensable pour remorquer le yacht de l'intérieur du port vers la haute mer et l'y ramener, et aussi pour servir d'estafette. Ce petit remorqueur coûte environ 400 francs par jour, quand on le loue à la journée. On ne l'emploie pas durant toute la saison mais il finit par ajouter de 12 à 13 000 francs aux frais généraux.

Le gréement est une autre source de dépenses. Le *racer* doit avoir à sa disposition trois ou quatre rechanges de voilure, car les voiles, de si bonne qualité qu'elles soient, se distendent rapidement sous l'action du vent, et il faut pouvoir les remplacer sans délai. Où trouverait-on le temps de les retailler? Or, la voilure de ces yachts coûte 25 000 francs. Ajoutez les réparations, parfois indispensables, en cale sèche, opération qui coûte 1500 francs par jour.

Jusqu'ici, nous n'avons parlé que des dépenses occasionnées par la course elle-même. Il nous faut maintenant envisager les dépenses personnelles du yachtman (ou du club) qui possède le yacht, et aime à en faire les honneurs.

Durant les épreuves éliminatoires ou la course finale, il n'est pas rare que le nombre des invités dépasse cent cinquante. Contentons-nous de rappeler que sir Thomas Lipton, durant sa dernière tentative, reçut en tout à son bord 850 invités, et qu'on estima que les dîners qu'il leur offrit lui coûtèrent environ 75 francs par tête.

Le yachting, comme le déclare certains pessimistes, est-il sur son déclin? Après le cyclisme et l'automobilisme, qui lui firent une concurrence redoutable,

Sa Majesté à la barre du Britannia *lors d'une régate à Cowes en 1924. Fièrement, les Anglais l'appelaient « Our sailor King » (Notre roi marin).*

l'aviation viendra-t-elle à son tour éclaircir les rangs de ses fervents? On peut le redouter. Par exemple, il est incontestable que, ces dix dernières années, Cowes a vu diminuer sa flottille dans des proportions alarmantes, et que les chantiers de la Clyde, où la construction de yachts de course faisait vivre jadis des centaines

d'ouvriers, sont dans le marasme. « Ce sport coûte trop cher, protestent les jeunes générations. Et les satisfactions qu'on en retire ne sont pas proportionnées aux dépenses qu'il entraîne. »

Mais la « grande bleue » aura toujours ses enthousiastes, qui préféreront au délire de la vitesse goûté sur une route poussié-reuse le balancement rythmé du gracieux oiseau aux ailes de toiles.

Lectures pour tous
Noël 1909.

Le grand mât manque de s'abattre sur le roi

*Le magnat du thé, sir Thomas Lipton, invite Sa Majesté
à venir observer les essais de yacht Shamrock II...
Un grain et... patatras!*

Un accident bien imprévu et qui, dans les circonstances où il est survenu, aurait pu être des plus graves, vient d'interrompre brusquement les essais du *Shamrock II*, au moment où ils devenaient de plus en plus intéressants, car jusqu'ici ses premières sorties, surtout destinées à mettre au point sa voilure et son gréement, n'avaient pas donné de résultats bien probants.

Pour la première fois, le yawl *Sybarita* devait se joindre aux deux *Shamrock*, pour une course dont le départ était fixé à deux heures à la bouée de West Brambles, les trois concurrents devant gagner Ryde.

Le roi d'Angleterre, qui a suivi avec la plus grande attention la construction et les débuts du nouveau champion, était à bord de ce dernier, ainsi que la marquise de Londonderry, M. et Mme Jameson et sir Thomas Lipton.

A l'heure indiquée, le capitaine Sycamore commença à manœuvrer pour le départ; la brise avait fraîchi et d'une minute à l'autre devenait plus dure. *Shamrock II* ayant viré de bord, se dirigea, à l'allure du large, sur la ligne figurée par la bouée de West Brambles et l'avant du steam-yacht *Erin*. En approchant, il fut enveloppé subitement par un grain plus violent que les autres. Son mât de flèche fut brisé, le grand mât lui-même céda au capelage du mât de flèche, pendant que le bout-dehors était

emporté. En un instant, toute la voilure, grand'voile, flèche, clin-foc et foc, s'affala sur le pont et dans l'eau.

Le *shamrock I* se rapprocha immédiatement, mais lui aussi eut à subir les effets du même coup de vent, qui lui courba complètement sa corne au milieu, lui brisa sa vergue de flèche et lui déchira sa voilure.

L'inquiétude était grande à bord de ce yacht, et de *Sybarita*, qui envoya immédiatement son canot au secours de *Shamrock II*; mais, à la surprise générale, on put constater de suite qu'on n'avait à déplorer la mort de personne et pas même la plus légère blessure.

Au moment de l'accident, le roi se trouvait à l'arrière, au vent, avec les autres invités de sir Thomas Lipton, et, avec un sang-froid remarquable, il rassura lui-même les dames présentes. Les hommes de l'équipage qui étaient dans la mâture s'étaient laissé glisser précipitamment sur le pont au premier craquement et n'eurent aucun mal. Quelques matelots furent précipités à la mer, emportés dans les plis de la voilure, mais ils en furent quittes pour un bain.

L'*Erin* reçut le roi et les autres invités à son bord et les transporta à Southampton.

D'après le New-York Herald, l'accident serait dû à la rupture de la ferrure de

La goélette Margarita *sous le vent du cotre* White Heather II *à Cowes.*

Le grand cotre royal Britannia *en action, en 1934. Il est gréé en Classe J.*

sous-barbe et de l'une des rides de haubans de beaupré, ce qui aurait entraîné la rupture du beaupré, puis celle du grand étai et de l'étai de flèche, et, comme conséquence, le mât lui-même se serait brisé.

Ceci prouve que, même en Angleterre, et alors qu'il s'agit d'un yacht qui a été certainement l'objet d'un soin tout particulier, on peut avoir des surprises aussi désagréables.

Nous attendrons, d'ailleurs, pour nous prononcer sur ce point d'une façon définitive, de connaître exactement la cause de l'accident du *Shamrock*, mais une particularité sur laquelle nous avons le

droit d'insister dès à présent comme absolument significative, c'est la présence d'Edouard VII à bord du champion anglais au moment de l'accident. Ce n'est plus, ici, un prince libre de ses actes, disposant de tout son temps, pouvant satisfaire ses goûts à sa guise, qui se livre à son sport favori, c'est le Roi lui-même, le Roi qui porte tout le poids des grandes affaires de son Empire, en ce moment si délicates à conduire, qui vient, en personne, donner l'appui de son autorité souveraine à celui qui fait tant de coûteux et nobles sacrifices pour aller reconquérir en Amérique le trophée perdu depuis plus de cinquante ans.

Cette intervention royale, en pareilles circonstances, est décisive au point de vue de la thèse que nous soutenons sans cesse, à savoir que le yachting est par excellence le sport national. Le roi d'Angleterre a tenu à en faire la démonstration d'une façon qui ne puisse laisser aucun doute, et il a voulu faire comprendre qu'en servant la cause du yachting comme le fait sir Thomas Lipton, on sert la cause du pays. Et c'est ainsi que l'Angleterre est devenue la première puissance maritime du monde. Aussi l'empereur d'Allemagne qui, lui à son tour, vise à la première place, ne veut pas laisser au roi d'Angleterre le privilège qu'il a exercé jus-

qu'ici et joue, à bord du *Meteor*, le rôle que remplit Edouard VII à l'arrière du *Shamrock*, rôle dans lequel on ne saurait voir tout simplement un goût effréné pour notre sport mais qui vise certainement plus haut et plus loin.

En France également, les pouvoirs publics doivent voir là une leçon instructive et de quoi justifier, pour le sport maritime, des encouragements profitables en réalité au bien du pays.

Le Yacht
25 mai 1901.

Cowes, l'Empire du yachting

Pages suivantes :
Régate de 12 Mètre (sic) en 1937 à Cowes.

Page de gauche :
La grande goélette de voyage Sunbeam II *fait*
sa toilette en cale sèche en mars 1937. Elle prendra
part à la grande revue navale du couronnement.

Ci-dessous :
« A serrer le vent! » L'équipage au rappel.
En ce temps là, on se couche sur le pont pour ne pas
créer de perturbations au vent.

Tenue de régatiers à Cowes en 1929.

Yachting

Nº 62. *Tenue de propriétaire*, complet cheviote bleue, grand teint garanti **110** fr.
En molleton bleu, grand teint. **85** fr.
En flanelle chine **75** fr.
Casquette. .. **8.50**

*Les broderies et les boutons sont facturés en plus.

A Cowes, on ne plaisante pas avec la tenue vestimentaire. D'une heure à l'autre, elle peut (et doit) changer.

Sir Thomas Lipton

*Devenu milliardaire grâce au commerce du thé, Sir Thomas Lipton
entretint une véritable passion pour le yachting.
Il posséda successivement cinq Shamrock,
qu'il engagea dans la Coupe America
pendant trente ans*

*Page de gauche :
Sir Thomas Lipton sur le pont d'un de ses yachts.
De la casquette au pli du pantalon, sa tenue est impeccable.*

*Ci-dessous :
Sir Thomas Lipton, skipper sur l'un
de ses fameux Shamrock.*

La coupe
America

*A l'occasion de l'Exposition universelle de 1851,
le New York Yacht Club envoie le schooner
America se mesurer aux Anglais autour
de l'île de Wight. Il remporte
le trophée. La coupe
America est née.*

Ci-contre :
Ratsey, *le plus célèbre
voilier du monde.
La firme a été créée
au dix-neuvième siècle
en Angleterre.
Ici, un employé surveille
les ballots de coton
dans la succursale
de New York.*

185

Le yacht
du duc de Westminster

*Ces photos proviennent d'un album anonyme trouvé au marché aux Puces.
Après identification, elles auraient été prises en 1927 par le chef français
du duc de Westminster. C'est lui qui officiait dans les cuisines
du magnifique yacht du duc,
le* Flying Cloud.

Page de gauche :
Le chef français Maurice Breton
à la porte de sa « cuisine ».
Le Flying Cloud,
qui avait aussi un moteur,
fut l'un des plus luxueux yachts
de son temps.

Ci-dessous :
Le quatre-mâts goélette Flying Cloud, *fut construit*
aux environs de 1900 aux États-Unis. Vendu en 1926
à un Américain, il passa ensuite aux mains de l'armateur
Onassis, avant d'être transformé en voilier de croisière
en 1972 sous le nouveau nom de Fantôme.
3 000 tonneaux. Longueur : 55 mètres à la flottaison.
30 hommes d'équipage.

Alain Gerbault traverse d'abord l'Atlantique

*Jusqu'ici connu pour ses succès au tennis, Alain Gerbault atteint
à la célébrité en traversant l'Atlantique sur son voilier de 9 mètres.
Un écrivain a fait remarquer recemment que cette traversée
par la route des Alizées - comme d'ailleurs le tour
du monde ultérieur d'Alain Gerbault, étaient
aujourd'hui de paisibles itinéraires
de voyages de noces...
Mais en 1923, il fallait
une audace insensée
pour tenter cette
aventure.*

Il est permis de supposer que, lorsqu'il posa le pied sur le sol du Nouveau Monde, Christophe Colomb, novateur incontesté, n'y produisit pas une sensation comparable à celle que vient de susciter aux Etats-Unis l'arrivée d'Alain Gerbault, imitateur.

Il y a de ces performances qui, sportivement parlant tout au moins, paraissent avoir été anticipées. Ainsi, le soldat de Marathon n'aura connu la vraie gloire que du jour où, dûment entraînés et préparés, des athlètes s'attaquèrent à son record.

Christophe Colomb croyait aller aux Indes et il avait des compagnons de voyage, lesquels, du reste, trouvant le voyage un peu long lui adressèrent de vifs reproches et faillirent lui réserver un sort fâcheux. Alain Gerbault, profitant doublement de l'expérience, s'embarqua non pas pour les Indes, mais pour l'Amérique, et, afin d'éviter toute discussion à bord, il partit seul.

Son arrivée à Long-Island, dans la baie de New-York, a provoqué de l'autre côté de l'Atlantique une sensation énorme, et nous ne pensons pas qu'aucun « chargé de mission » ait, depuis longtemps, fait autant pour la propagande française que cet extraordinaire navigateur. On admire beaucoup le courage de nos amis et il est rare d'en montrer autant.

Mitraillé sur le quai même de débarquement par les photographes et les opérateurs de cinéma, interrogé par vingt reporters à la fois, Gerbault figurait le soir même dans toutes les grandes feuilles de New-York. Dès le lendemain, son nom était célèbre, et aux détails biographiques exacts qu'il avait fournis lui-même s'ajoutaient les renseignements les plus fantaisistes. Rétablissons la vérité. Gerbault est né à Laval il y a vingt-huit ans. Sportif accompli, il fut pendant la guerre un aviateur de chasse intrépide, comme en témoignent les sept palmes de sa croix de

*Alain Gerbault photographié à New York, en septembre 1923, après sa traversée de l'Atlantique.
A l'origine, le Firecrest était un cotre de course anglais en chêne et en teck, vieux de 32 ans.*

189

LE SUPPLÉMENT ILLUSTRÉ
DE LA REVUE HEBDOMADAIRE

Nᴵˡᵉ Série (25ᵉ Année) N° 32   10 Août 1929

UN HÉROÏSME SANS PRÉSIDENT

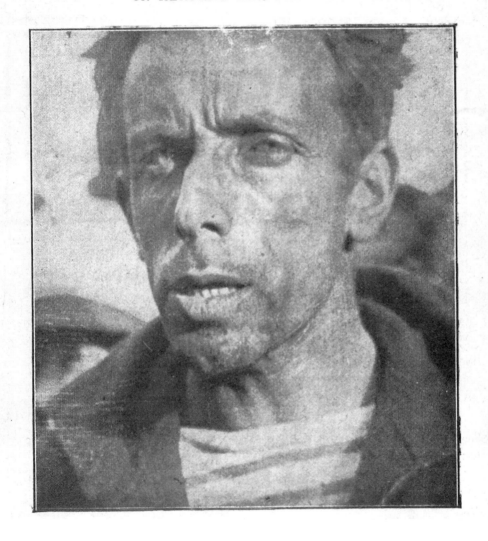

*Ci-contre :
Le même, cinq ans
plus tard, après
son périple en solitaire.*

*Ci-dessous :
Le périple de 60 000 km
(environ) accompli
par Alain Gerbault
de 1924 à 1929.
Il resta seul 700 jours.*

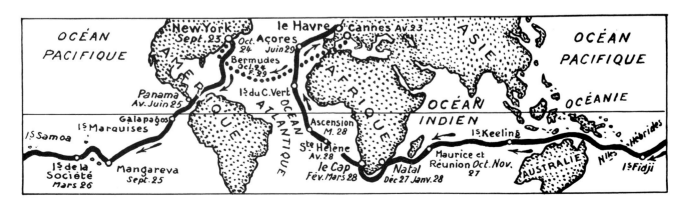

191

guerre. A son tableau figurent sept avions ennemis descendus. Le *Miroir des Sports* a eu maintes fois l'occasion d'entretenir ses lecteurs d'Alain Gerbault, joueur de tennis. Il a été notamment le partenaire de Suzanne Lenglen.

Il est inutile désormais de vanter ses qualités de navigateur. C'est le 4 avril dernier, sur son petit yacht, le *Firecrest*, plus âgé que lui, car il fut construit il y a une trentaine d'années, que Gerbault quitta le port de Nice. Il n'annonça pas bruyamment ses intentions, comme le font tant de futurs recordmen, dont les entreprises sombrent peu après dans l'oubli. Il s'en alla tranquillement jusqu'à Gibraltar. Son véritable raid part de là. Le 6 juin, il s'élançait pour sa traversée de l'Atlantique, soit 3200 milles marins à parcourir seul, et dont il vint à bout en cent deux jours.

Plus de trois mois sur l'océan! Cela représente au moins une tempête, et encore avec de la chance. Gerbault en essuya trois. L'une de celles-ci s'accompagna même d'une pluie chaude tellement pénible que notre homme dut se dévêtir entièrement. Il se tira de ce mauvais pas

avec une angine et, pendant quarante-huit heures, demeura presque inconscient.

Au cours d'un coup de vent, l'un de ses mâts se brisa. Il avait prévu le cas et répara cet accident, mais imagine-t-on la dure tâche de ce voyage isolé, obligé d'assurer constamment la manœuvre et de ne dormir que d'un œil? Il lui arriva, d'ailleurs, d'être complètement privé de sommeil trois ou quatre jours durant et, quand il débarqua à Fort-Totten (Long-Island), il n'avait pas dormi depuis quatre-vingt heures. Voilà du tourisme qui n'est pas à la portée de toutes les énergies.

Depuis son départ de Gibraltar, ses amis étaient fort inquiets. On n'avait pas reçu de lui la moindre nouvelle. Le 5 septembre seulement, le vapeur grec *Byron* fit savoir par T.S.F. qu'il avait rencontré, à 190 milles à l'est du phare de Nantucket, un petit bateau à voile monté par un Français. Sur la proposition qui lui fut faite d'être pris en remorque, Gerbault répondit qu'il se contenterait de quelques provisions et d'eau fraîche, car sa réserve se trouverait à peu près épuisée.

Au cours de sa longue traversée, le

Le minuscule Firecrest *amarré sous le pont Alexandre III, près d'un torpilleur.*

yachtman a consommé 60 livres de bœuf en conserves, 36 boîtes de lait condensé, 60 livres de sucre, 10 litres de thé et 35 livres de biscuits de mer, ordinaire peu varié, dont, du reste, il s'est facilement contenté.

Parti avec 280 litres d'eau distillée, il en perdit 180 litres pendant une bourrasque ; aussi, jusqu'au moment où il rencontra le *Byron*, fut-il obligé de recueillir l'eau de pluie. On ne peut s'empêcher de frémir en songeant au sort qu'eût subi le téméraire voyageur, si, retardé ou déporté par des vents contraires, il eût constaté, loin de toute terre ou des voies suivies par les paquebots, l'épuisement complet de ses provisions.

Les premiers mots que prononça Gerbault en débarquant à New-York furent pour réclamer un bain et des vêtements de rechange. Ainsi, une intrépide alpiniste américaine, se retrouvant en pleine vie civilisée après une pénible ascension, demandait, avant toute chose, une brosse à dents.

On pourrait supposer qu'une fois isolé au milieu de l'océan, aux prises avec les mille difficultés qu'il avait seulement

soupçonnées, Gerbault regretta d'être parti. Il semble, au contraire, avoir définitivement goût à ce genre de voyage, puisqu'il annonce son intention de continuer. Le *Firecrest*, qui n'a cependant que 9 mètres de long, lui paraît encore trop grand. La manœuvre pour un homme seul doit être évidemment dure, surtout par gros temps. Gerbault va donc vendre son petit bateau et tout permet de croire qu'il ne cherchera pas longtemps un acquéreur. Il en achètera un autre, ira visiter les mers du Sud et finira d'accomplir le tour du monde sans chercher le plus court chemin.

Gerbault n'est sûrement pas un type ordinaire et il a stupéfié les Américains. Ceux-ci ont beaucoup remarqué qu'il avait emporté, en manière de fétiche, la raquette avec laquelle il gagna ses derniers matches sur les courts d'Europe.

Le navigateur est décoré de la croix d'officier de la Légion d'honneur sur la plage arrière du torpilleur l'Adroit.

Le Miroir des Sports 12 octobre 1923.

The TATLER

Vol. CXIII. No. 1469   London, August 21, 1929   POSTAGE: Inland 2d.; Canada and Newfoundland 1¼d.; Foreign 4d.   **Price One Shilling.**

MLLE. GABRIELLE CHANEL AND ALAIN GERBAULT

Page de gauche :
Alain Gerbault
aux côtés de Coco Chanel
en 1923. L'heure
de la misanthropie
n'est pas encore venue.

Ci-contre :
Le Firecrest
dans un bassin
du port de Cherbourg
en juillet 1932.

Ci-dessous :
27 juillet 1929.
L'arrivée triomphale
du navigateur au Havre.
Il est remorqué par
l'aviso Ailette qui
a envoyé deux matelots
à bord du Firecrest.
On reconnaît
Alain Gerbault,
en caban, à droite.

Le bonheur

*Il y a aussi une voile douce, que l'on pratique le long des côtes,
sur les plages, les lacs, les rivières,
et qui apporte également
d'immenses joies.*

*Page de gauche :
Madame Hassall vit à Londres
sur son voilier,
le* Silver Wedding.

*Ci-dessous :
Ce couple de navigateurs allemands ayant élu domicile
sur la Seine projette de partir à la recherche d'un trésor
aux îles Cocos... Mais appareilleront-ils vraiment?*

Baissez-vous, je vais prendre une photo!

Page de gauche :
Heureusement,
la terre est en vue...

Ci-contre :
Seul maître à bord...

Pages suivantes :
Pique-nique
sur la rivière (thé
et saucisses grillées).

Ci-dessous :
Une petite voile et de
grands fous rires...

CRÉDITS PHOTOGRAPHIQUES

Capitaine Lacroix : pages 69h et b, 99h et b, 100, 118.

Cartes Yvon : pages 6-7.

Jean Feixas : pages 186, 187.

Musée des Arts Décoratifs, Paris : pages 101, 119, 148-149, 161.

Musée de la Marine, Paris : pages 55, 76-77, 92, 93, 102, 110, 112, 113, 115, 192, 195h.

Sirot Angel : pages 23, 36-37, 45, 47, 68.

Droits réservés : jaquette et pages 8, 10, 11, 12, 13, 14, 15, 16-17, 18, 20, 21, 22, 26h et b, 27, 28-29, 31, 33, 34, 35, 38, 41, 42, 46, 49, 50, 52, 53, 54, 56, 57h et b, 58, 61, 62, 63, 65, 66, 71, 72, 75, 78, 79, 80, 81, 82, 83, 84, 87, 88-89, 91, 95, 96, 101, 105, 106, 108, 116, 120, 121, 122-123, 124, 126-127, 128, 130, 131, 132h et b, 134, 136-137, 139, 140, 141, 142, 144-145, 146, 147h et b, 148-149, 150, 152, 153h et b, 155, 158, 160-161, 162-163, 164, 167, 168, 169, 171, 172, 174-175, 176, 177, 178-179, 180, 181, 182, 183, 184, 185, 188, 190, 191, 193, 194, 195b, 196, 197, 198-199, 200, 201h et b, 202-203.

REMERCIEMENTS

Nous remercions
Madame Pierre-Yves Lacroix, Madame Goemans et Madame des Robert,
belle-fille et filles du capitaine Lacroix
pour leur aimable autorisation de publier des pages extraites
des œuvres de leur beau-père et père
(ouvrages incontournables sur la vie à bord des grands voiliers).
Madame Colette Gaspais, assistante de direction aux éditions Ouest France.
La revue « Voiles et Voiliers ».
François Chevalier, architecte naval et historien, pour ses conseils techniques
(Il est notamment l'auteur, avec Jacques Tagland, d'ouvrages monumentaux
sur l'histoire de la plaisance dans le monde).
Jérôme Legrand, du Musée de la Marine, pour son aide précieuse,
ainsi que son acolyte, le photographe Patrick Dantec, pour ses excellents tirages.
Les éditions Gründ, pour l'autorisation de publier un extrait de l'ouvrage
du capitaine René Chavériat « Ceux de la Voile ».
Monsieur Guy Draeger, des éditions Yvon,
pour ses recherches et son prêt de photos.

TABLE

CET OUVRAGE

A ETE ACHEVÉ D'IMPRIMER
EN MAI 1996
SUR LES PRESSES DE
LESCURE-THÉOL
A MANTES-LA-JOLIE